ネオ・サピエンス誕生

服部 桂 Hattori Katsura
稲見昌彦 Inami Masahiko
ピーター・スコット-モーガン Peter Scott-Morgan
為末 大 Tamesue Dai
平沢 進 Hirasawa Susumu
渡辺正峰 Watanabe Masataka
木下美香 Kinoshita Mika
粕谷昌宏 Kasuya Masahiro
富野由悠季 Tomino Yoshiyuki
ケヴィン・ケリー Kevin Kelly
大森 望 Ohmori Nozomi
塚越健司 Tsukagoshi Kenji
ドミニク・チェン Dominique Chen
吉川浩満 Yoshikawa Hiromitsu
さやわか Sayawaka

インターナショナル新書 091

はじめに

本書は雑誌『ｋｏｔｏｂａ』２０２１年秋号（集英社）の特集「人間拡張はネオ・ヒューマンを生むか？」を新書にまとめたものです。テーマである「人間拡張」という言葉に馴染みのない方もいるかもしれません。

人間の足りない部分を補ったり、能力以上の行動を可能にするもの――身近な例として、眼鏡や杖なども人間拡張のためのツールであるといえば、イメージがわくでしょうか。もちろん、人をはるかに超えた演算機能を持つコンピュータやスマートフォンも人間拡張の技術が生み出したものといえます。そして、人間の理想や欲望とともに作られてきた拡張テクノロジーの改良・進化のスピードが今後も増していくことは、毎日のように生み出される新技術を見れば想像できるでしょう。

私たちは、今回、人間拡張テクノロジーの第一線で活躍している研究者、そして、人間拡張をテーマに思索を続ける方々からお話を伺いました。読み進めれば、工学、医学から、言語、小説、スポーツ、音楽に至るまで、驚くほど様々な分野で、このテーマが浸透している現状がわかっていただけると思います。

わずか数十年前には、SF映画や小説にのみ描かれていた世界に現実が追い付いてきているという事実に、戸惑いを覚える方もいるかもしれません。特集に登場する人物のひとり、ピーター・スコット-モーガンは、人間拡張のテクノロジーが進み、サイエンス・フィクションの世界を凌駕《りょうが》しつつある状況について、サイエンス・エシックス(科学倫理)の問題を考えることが必要になってくる、と語っています。

人間拡張のテクノロジーが生み出す人類の未来をどう予想するか? 本書を読みながら、ぜひ読者のみなさんにも考えていただきたいと思います。

ｋｏｔｏｂａ編集部

目次

イントロダクション服部 桂

ジャーナリスト

人間拡張の原理を超えて　メディアの歴史から読む未来

はっとり かつら　関西大学客員教授。ジャーナリスト。一九五一年、東京都生まれ。朝日新聞社科学部記者、雑誌編集者のほか、通信ベンチャーへの出向やMITメディアラボ客員研究員などを経て二〇一六年に定年退職。著書に『マクルーハンはメッセージ』(イースト・プレス)、『VR原論』(翔泳社)、訳書に『テクニウム』(みすず書房)、『〈インターネット〉の次に来るもの』(NHK出版)など多数。

人類は、地球に誕生してからというもの、常に拡張し続けてきたといっても過言ではない。だが、テクノロジーの急速な発達によって、これまでとは異なる概念の拡張が次々に生まれ、現実のものとなりつつある現在、我々は人間拡張について、あらためて考えてみる必要があるのではないか。そのためにも、人間拡張の歴史を振り返ってみるところから始めてみようと思う。

『人間拡張の原理＊メディアの理解』（一九六七／竹内書店）。メディア論で有名なカナダの文学者マーシャル・マクルーハンの主著『Understanding Media: The Extensions of Man』（一九六四）の初訳本は、メインとサブのタイトルの順番が原題とは逆になっていた。当時は「メディア」という言葉がまだ一般的でなかったために、邦題ではサブを先にしたという。この本はベストセラーになったものの版元は倒産し、その後一九八七年に『メディア論――人間の拡張の諸相』（みすず書房）という題で改訳された。

現在ではメディアという言葉も定着し、マクルーハンを論じる際には新訳が引用され、タイトルにある「人間の拡張」という言葉は理解されないまま忘れ去られているが、マクルーハンのメディアの定義は、まさに人間の身体や感覚を拡張する、言葉からマスメディア、コンピュータまでのすべてのテクノロジーを指していた。

この定義はオリジナルなものではなく、文化人類学者のエドワード・T・ホールが『沈黙のことば』（南雲堂）で述べている「今日、人間はかつて自分の身体で行っていた作業のほとんどすべてを拡張する技術を開発した。武器の発達は歯と拳骨からはじまって原子爆弾で終わる。着物と家屋は人間の生理的な体温調節機構の拡張であった。家具は地面にしゃがみこむ動作にかわった。電気器具、双眼鏡、テレビ、電話、書物等々はすべて時空をこえて声を運ぶことで肉体の行為を拡張する道具の例といえる」という考えに大きな影響を受けたものだった。

石器時代から宇宙時代まで、文明の発達の段階は人間の身体的・精神的な能力を飛躍的に拡張して高めてくれるテクノロジーの採用によって、前の時代から考えられないほどの大きな変化が起きたことで区分されているが、それらが人間の生存確率を高め、かつ、生物としての社会的な機能を向上させてきたことは間違いない。

人間をまずサルから分けた道具は石器とされるが、その後に火を使うようになり、さらに五万年ほど前に言語が発明されたという。心を客観化するこの言語というテクノロジーのおかげで、人類の創造性は一気に高まり、文字の発明を経て、言葉によって表現される高度な文明が現代まで続くことになる。

言語の発明によって知識を共有できるようになり、人々の寿命は延びて人口が急激に増えたとされ、それまでの狩猟採取の生活から農耕社会に移行し、四大文明が開花した。

特に近代になって、産業革命が本格化した一九世紀以降の人口増加には著しいものがあり、二〇世紀に入ってからは、一九六〇年代以降の戦後復興期にいわゆる人口爆発が始まった。世界人口は六〇年代の三〇億人から現在では八〇億人にせまる勢いだが、これは一九世紀の初めの人口の八倍にあたる。

人口の増加は生産力や市場の規模を広げて経済成長をもたらす結果となったが、現在では逆に先進国の高齢化による人口減少や、都市人口が半分を超えてその傾向が止まらないため、都市と地方の格差が問題となっており、日本もこのままの減少が続くと次の世紀の始まる頃には人口が半減するとの予測も出されている。

近代を決定づけた活版印刷

歴史をひもとくと、古代から中世にもテクノロジーによる様々な変化はあったものの、歴史に残っている大きな変化は疫病や戦争によるネガティブなものが大半で、テクノロジーによる人間の拡張が前向きに受け入れられていたかは定かではない。

しかしそうしたなかで、ルネサンス以降の近世から近代に脱皮するきっかけとなった一五世紀中盤のヨハネス・グーテンベルクの活版印刷の発明は、人間の精神の拡張に確実に大きく寄与したものといえるだろう。

言葉を書き記し共有することで歴史が刻まれて以来、文字によるコミュニケーションはずっと一部の特権階級のものだった。ほとんどの人にとってリテラシーは魔術と紙一重で明確に分離していないもので、聖書を中心とした多くの物語は手書きの写本で伝えられたものの、年単位で作られた一点物の美術品だった。

ところが活版印刷は、こうした書物の複製を自動化し、日に何百冊も寸分たがわないコピーを生み出すことで、情報の生産・伝搬速度を何万倍にも拡張した。一五世紀中には二〇〇〇万部の本が印刷され、一六世紀にはそれが二億部にも達したとされ、各都市に図書

1568年にヨースト・アマンによって描かれた印刷所の様子。活版印刷技術によって、多くの書物を印刷できるようになった。Jost Amman（1568）

館が整備されて知のネットワークができた。それは生産性が少々向上したというレベルではなく、それまでの風景を一変させてしまうような、まさに革命的変化をもたらすものだった。

活版印刷はテクノロジーとしては、単なる書かれた文字の自動的な複製による拡張ではあったが、文明に計り知れない影響を与え、同じ文書の情報を共有することで法律から社会生活のノウハウ、自然現象に関する理論までの膨大な知識が正確に伝わり論議できるようになった。

そしてこうした知識の民主化が進むことで一六世紀前半に宗教改革が起き、一七世紀には信仰から実証へと科学革命が進み、一八世紀には百科全書派などによる啓蒙主義が影響力をもち、産業革命を経て一気に近代化が進んだ。

蒸気機関の発明に端を発する動力革命は、生産ばかりか蒸気機関車となって鉄道による移動へと拡張され、さらに石油による内燃機関を使った自動車の発明がそれを加速した。それによって、上流階級にしか許されていなかったレジャーとしての移動の自由は一気に拡大し、庶民による民族大移動のような旅行ブームが起き、一八四一年にはイギリスでトーマス・クックが団体旅行を行う旅行会社を興すなど、人々の生活圏や経済圏はそれまでの範囲を超えて一気に広がった。

一九世紀に入ると電気によるエネルギーや情報の革命が続き、電信や電話という物の移動を超えた光速の通信環境が、世界規模の意識の拡張をもたらし、ダーウィンの進化論が神による予定調和的な世界観を覆し、スペンサーなどによって「社会ダーウィニズム」が唱えられ、社会規模での進化や進歩さえもが意識されるようになった。

さらにエジソンの白熱電球の発明で生活は夜間にまで拡張され、写真、映画、蓄音機といった新しいメディアの発明によって、それまでの時間や空間を超えた社会生活の拡張が一気に起きた。こうして産業革命の効果が世界中に広がることで、欧州を中心にした各国が近代化を遂げることで国民国家を形成していった。

そうした様々な変化の意味をまず世に問うたのが、一九世紀中盤以降のＳＦ小説だろう。ジュール・ヴェルヌの『八十日間世界一周』や『月世界旅行』、Ｈ・Ｇ・ウェルズの『タイムマシン』や『宇宙戦争』などに象徴される、それまで考えられなかったような人間の移動に伴う意識の拡張を裏付けるような、世界を模索する新しい小説の分野が出現した。

それらは、それまで現実的でなかった地球規模の新しい文明や、その先にある宇宙の旅までもが、次の時代には可能になるという未来社会の姿を描いていた。

未来ブームの到来

歴史や伝統というレガシーを前提にしていた社会は、新しいテクノロジーによって起きた拡張の先にある未来に目を向け始め、進歩というものを前向きに受け入れる気風が醸成された。一八五一年の世界初のロンドン万国博覧会に象徴されるように、世界レベルの将来像を論議する未来ブームが現実のものになり、一九〇〇年に開催されたパリ万博の前後に描かれた一〇〇年後の世界の想像図には、すでに空飛ぶ車や映像を送れる電話や掃除ロボットが家庭で使われている未来が描かれていた。

二〇世紀に入ると、アインシュタインの唱える相対性理論やハイゼンベルクやシュレーディンガーの量子力学がもたらした時空の認識の変容が、キュビズムのような新しい形で表現されるようになり、イタリアで起きた未来派などのアート運動が世界を席巻し、世界認識さえも大きく変えていった。

また産業革命に先立つ時代にすでに、人間自体の認識を変容させてしまうような、もっと大きな変化も起きていた。

一六世紀に本格化した大航海時代には、航海の精度を向上させる正確な時を計測する精密機械技術が発達した。それに従って、古くからあった人間や動物の動きを再現する機械仕掛けのオートマトン（からくり人形）を精密化し、字を書いたり楽器を演奏したりする複雑な動きをするものが作られた。

なかでも一七三八年にジャック・ド・ヴォーカンソンの作ったアヒルの人形は、まるで生きているようにエサを食べて消化し、糞までする動きを再現することで話題を呼び、人々に生物は結局、精密な機械に過ぎないという印象さえ与えた。またド・ラ・メトリが『人間機械論』（一七四七）を書き、いずれは高度化した機械が人間を超えた存在になるのではないかという期待感が高まった。

一七七〇年にオーストリアで作られたトルコ人の格好をした人形は、人間とチェスを指してことごとく勝利し、世間を驚かせた。もちろんトリックであったが、機械技術の進化の先には人間の知的能力を上回る人工物が出現するという、現在の人工知能（ＡＩ）が人間を超えるというシンギュラリティのような論議がすでになされていた。

この人形を幼少時にロンドンで観た数学者のチャールズ・バベッジは、大人になってからその夢を実現しようと、一八二二年に歯車を使った巨大な万能計算機械である階差機関を構想したが実現することはなく、機械による知的機能の再現は二〇世紀後半のコンピュータの出現を待つしかなかった。

つまり、活版印刷に使われたテクノロジーは、文字表現の拡張による人々の知の拡張と、機械的に同一のコピーを無限に生産する大量生産のテクノロジーへ道を拓《ひら》き、さらには計算する機械による情報革命をも準備することになったのだ。

そしてそれは、植民地争奪と帝国主義による世界秩序の再編を引き起こし、一九世紀末には高度に発展した資本主義とマスメディアの融合した世界規模の市場へと行き着く。そして二〇世紀に入ると、フランス革命以降衰退を続けていた旧体制と近代を象徴するテクノロジーの拡張の確執が、ついには初の世界規模の戦争を引き起こすまでになる。

戦争が進歩を加速させたテクノロジー

一九一四年に勃発した第一次世界大戦では初めて飛行機が使われ、国境を越えた空域にまで広がる三次元の戦場が出現し、フランス革命やナポレオン戦争の五倍以上の一六〇〇万人の死者を出した。それに続く第二次世界大戦はさらに高性能化した武器によって戦場は拡大し、死者は五四〇〇万人に膨れ上がり、原爆を含む大量殺りく兵器が世界規模の惨劇を拡大した。

飛行機はジェット機やロケット兵器にまで進化し、無線を使ったレーダーが実用化されて、こうした高速飛翔体の位置を探知できるようになり、高高度からやってくる爆撃機を撃ち落とすための高射砲が開発された。

特に高射砲による防空戦では、大砲の発射から砲弾が敵機に届くまでに一〇秒以上かかり、相手の位置や進路、その日の気象条件などを正確に測定して攻撃しなくてはならない。そのために日々の条件に合った細かい砲撃射表が必要になり、膨大な計算を人の手で行うことは実用上不可能であることから、米陸軍では電子方式の計算機の開発を行うことになった。こうしてペンシルベニア大学で作られた世界初の真空管を使った電子式大型計算機ＥＮＩＡＣが、現在のＩＴ社会の元祖ともなった初のコンピュータと考えられている。

またMIT（マサチューセッツ工科大学）で高射砲の射撃制御装置の開発を行っていたノーバート・ウィーナーは、高度な兵器を人間が扱う際には機械と一体化してオペレーションを行うことが重要になることから、機械によって拡張された人間の可能性を論じる必要を感じた。

彼は人間が船と一体になって舵を操り、複雑な川の流れに抗して目的地に向けて航行する姿をイメージし、ギリシャ語の操舵者を意味する言葉から「サイバネティクス」という新分野を提唱した。そして、終戦後にENIACの開発者ジョン・フォン・ノイマンや、神経生理学のウォーレン・マカロック、文化人類学のグレゴリー・ベイトソンなどの専門家を集めた大規模なサイバネティクス会議を開催し、戦後のテクノロジーのあるべき姿を論じた。

コンピュータやレーダーに象徴される高度なテクノロジーを、人間が正確かつ効果的に扱うためには従来のレベルを超えたシステム論が必要になり、原爆という人間の制御能力を超えた発明の先に待ち構える軍拡競争にどう対処するかは、次の戦争が人類の滅亡に繋がる危険を回避するためにも必要な論議だった。

また、こうしたシステムは、戦争ばかりか平時の物づくりの高度化にも応用できるもので、サイバネティクスの発想をもとに工場の生産機械の精密制御のためにコンピュータを使い、生産を自動化する方式がオートメーションという名前で注目されるようになり、工業用ロボットや数値制御の工作機械を生み出した。

アメリカのゼネラル・エレクトリック社では原子力施設で核物質などを運搬保守するために、人間の手足と連動して重量物を持ち上げられる「ハーディマン」と呼ばれるロボットアームや、人間が中に入って操作するガンダムのような人間型の外骨格機械を試作したが、実用には至らなかった。

こうした身体強化のための機械と人間が一体となったパワードスーツや、人間型ロボットの開発は継続されたが、それらは宇宙や海中や原子炉などの極限環境での作業をサポートする特殊な機械に限られた。複雑な作業を行うためには、人間の身体構造と同じ形態のロボットを操作するほうが容易で、操作するオペレーターの目や手足の情報を直結し、離れた場所にあるロボットを自分の身体のように操作するテレプレゼンスの研究も行われた。

その一方で、鉄腕アトムや鉄人28号からガンダムへと至る、人間と機械が共生する未来も想像されるようになる。サイバネティクスの思想をそのまま拡張し、社会全体がこうした機械システムで繋がれ、国家全体が巨大なロボットのように機能する未来像を描く一つの契機になった。一九七〇年代にチリで構想された「サイバーシン計画」はクーデターで実現はしなかったものの、現在のＩｏＴを国家レベルに拡張したような、オートメーション化した自動国家の構想が本気で論議されていた。

一九世紀のＳＦブームのように、オートメーションとコンピュータの発達がもたらす、高度な未来社会をイメージする夢物語も書かれたが、スタンリー・キューブリック監督の『２００１年宇宙の旅』（一九六八）では、二一世紀の宇宙開発を支える高性能なＡＩコンピュータが、人間に反抗し殺害する姿が描かれ、人々に恐怖心を抱かせた。

当時はコンピュータのテクノロジーは、国家や大企業が管理のために使う特殊なものと見なされ、期待感が高まる一方で、問題になり始めた公害論議とも相まって、進化したコンピュータ社会が環境破壊を引き起こし、政府のコンピュータが暴走して核戦争や国家の転覆が起きるという、暗い未来を描く作品も多く書かれるようになった。

身体から精神の拡張へ

こうした機械による身体能力の拡張は、人間の生活圏を宇宙や海底にまで広げたが、目には見えないものの、もっと大きなスケールで起きていたのはむしろ精神や心の拡張だった。

原爆開発を行ったマンハッタン計画では、米国防研究委員会（ＮＤＲＣ）の議長を務めたＭＩＴのヴァネヴァー・ブッシュが開発を指揮したが、人類初の兵器を数年で開発するための組織や情報の管理は想像を絶する複雑さが要求され、その経験をもとに彼が構想したのがＭＥＭＥＸというシステムだった。

このシステムは、膨大な文書を整理し、検索し、関連付けるという手間を軽減するために、すべての文書をマイクロフィルムに記録してキーワードを付け、必要な関連文書を瞬時に取り出せるもので、人間の記憶（memory）を拡張（extend）するという意味で、二つの言葉を合成した名前が付けられた。

兵器開発の情報爆発に対処するために考えられた苦肉の策だったが、彼は終戦の年の一九四五年に『アトランティック・マンスリー』誌に「われわれが思考するがごとく」という題でこの構想を発表した。それは現在のグーグルのような検索サービスそのもので、機械化された百科事典として、いろいろな文書がキーワードを介して相互に参照しあうことで、従来の規模を超えた大きなプロジェクトや科学研究に役立つものとされた。

この論文を読んだダグラス・エンゲルバートという研究者は、こうした方法が情報管理より人間の知的能力を大幅に高めることに気付いた数少ない一人だった。ＥＮＩＡＣに続く初期のコンピュータは、水爆の設計や原子力開発などの特殊な計算用途にしか使われておらず、データベースも一九六〇年代に開発が進んだが、まだ組織の中心に据えられて全体をトップダウンで管理するためのツールに過ぎなかった。

エンゲルバートはＭＥＭＥＸのようなツールを個人やグループが利用することで、仕事の生産性が大幅に向上し、ひいてはそれが社会の問題解決にも役立ち、人類の知的レベルを高めるものと考えた。コンピュータを組織中心の管理の道具ではなく、個人がいつでも利用できる道具に転換するべきだと考えるようになり、コンピュータと人間の共生による人間の知力の拡張を夢見た。

そして彼が開発したのは、個人用ワークステーションとしてのコンピュータシステム

（ＮＬＳ）だった。このシステムでは、プログラムやデータを一括して読み込ませて計算結果を待つバッチ方式ではなく、キーボードやマウスを使って個人がインタラクティブに対話しながらリアルタイムで情報を共有する、ＭＥＭＥＸをコンピュータ化した現在のウェブのようなシステムだった。

一九六八年にサンフランシスコの学会で行われたＮＬＳのデモは当時のコンピュータ関係者に衝撃を与え、コンピュータが組織を拡張強化するものではなく、利用者がコンピュータと協働することで自分の能力を高めるという、新しいパーソナルコンピュータの考えをそのまま示したものだった。

このデモを見たアラン・ケイやテッド・ネルソンなどの有数のコンピュータ研究者が、個人を中心に据えたパーソナルコンピュータという概念を、実際に小型コンピュータを使って実現することで、コンピュータ利用のパラダイム転換が起きた。

もともと、第二次世界大戦の勝利や原爆の開発で一気に世界の頂点に立ったアメリカでは、ＥＮＩＡＣに続くコンピュータ開発が進んでいたが、ソ連が原爆や水爆の開発を始め、ついには一九五七年には世界初の人工衛星スプートニクを打ち上げることで、一気に大陸間弾道ミサイルＩＣＢＭを開発する能力を世界に示し、アメリカの優位に脅威を与えた。

こうしたスプートニク・ショックによって、国防総省は宇宙開発やコンピュータ開発に巨額の予算を投入して対処しようとし、それが結果的にインターネットやスーパーコンピュータの開発へと繋がった。宇宙開発でソ連優位を覆そうとアメリカがアポロ計画を始めた六〇年代には、ベトナムで戦争が勃発して多くの若者が兵士となった。

第二次世界大戦後に生まれたベビーブーマーと呼ばれる若者は、戦後の復興景気のなかで、それまでの古き良きアメリカの価値観に反抗し、親世代とは違う自由な生き方を主張する。エレキギターでロックを奏で、学生運動で戦争反対を声高に主張し、ＬＳＤやマリファナなどのドラッグを摂取し、都会生活からヒッピーとなって逃避する生活を始める者が多くいた。

一九六八年には、スティーヴ・ジョブズが二〇〇五年のスタンフォード大学の卒業式のスピーチで、青春時代に最も影響を受けたと述べたヒッピー向けの通販カタログ雑誌『ホール・アース・カタログ』が創刊され、アポロ宇宙船が撮影した地球の写真を表紙に掲げ、国や世代を超えて地球規模で世界を考える意識の変革を主張していた。

戦争と経済成長がもたらした歪みのなかで、個人が社会の因習や制度から自由になって、本来の個人の能力を開花させるべきだというカウンターカルチャーの主張は次第に行き場を失いつつあった。だが、ベトナム戦争が終結し、アポロ計画も一段落ついた七〇年代には、こうしたパワーが個人向けのコンピュータという新しいメディアに向かい、ゴールドラッシュ以来、軍事・航空産業以外に何もなかった西海岸のシリコンバレーで、パソコン開発を主流とした新しいIT産業が開花することになる。

一九八〇年代に入ると、アップルに始まりIBMのパソコンも出ることで、コンピュータという専門家しか手を出せなかった領域に一般人が入ることになる。パソコンは当初、ゲームや遊びにしか使えない若者のオモチャと考えられていたが、ワープロや表計算などのソフトが次第にオフィスの事務に使われるようになり、ビジネスのツールとして広く普及していった。

そして一九九〇年代になると、パソコンの市場規模が従来の大型コンピュータを超え、電話を中心にした従来のネットワークもデジタル化し、パソコンとネットワークを繋いだインターネットの利用が始まった。

それこそが、コンピュータの発明後に生まれた『ホール・アース・カタログ』世代の、地球規模の意識や生き方を体現するシステムで、産業革命の機械技術が身体を拡張し、人間の思考を真似るコンピュータに行き着き、両者が結びつくことでロボットやＡＩが出現した先にある、地球規模で全人類の全体像を拡張した姿そのものだろう。

コンピュータやネットの今後はＡＩの能力を拡張するばかりか、ＡＩとの協働によって人間の能力を強化・拡張する研究も始まっており、ネットの作るもう一つの現実としての情報世界をリアルワールドと結びつけるＶＲやＩｏＴの開発も進むと考えられる。

そもそも人類にとっての拡張とは、文明を論じる以前に、生命が生まれて成長し反映していくための基本原理であり、生きることと不可分に結びついた概念でもある。しかし現在の世界は、ひたすら拡張を求めることによる貧富の格差や国家間の闘争、有限な自然環境を破壊することに対して限界と矛盾に行き当たり、一九世紀から発展を遂げた現代の資本主義の限界を論じ、ＳＤＧｓのような持続可能性を探る必要性も叫ばれている。

最近は、これまでの文明が拡張して生み出してきた人工物の総体が、地球環境という自然のスケールを凌駕して自然環境破壊を起こしているとし、「人新世」と呼ばれる地質学上の新しい時代に入ったとする論議もあるが、こうした拡張の先に待っている地球のスケールを超えた宇宙時代の視点から現在の人類の限界について論じる必要もあろう。

マクルーハンは、自らを拡張するテクノロジーとしての新しいメディアは、前の時代のパラダイムを完膚なきまでに打ち壊すと考え、テレビ時代の後に待ち構えるコンピュータとネットワークの融合したオートメーション時代に期待とともに恐怖も抱いていた。そして、こうした変化はどの時代にも避けることはできず、人間ができることは新しいメディアを肯定したり否定したりするより、理解することにしか救いはないと考えた。

テクノロジーとしてのメディアを人間拡張という視点から捉え直し、いま再び理解することこそ、逆にその前提となる、拡張を望む人間自体の新しい理解に行き着く道ではないだろうか。

PART1 人間拡張と生きる

新たな拡張の可能性を追求する最先端の現場では、
いま、何が起こっているのか？　人間の可能性はどこまで拡げられるのか？
様々な分野で、この命題に向き合い続けるキーパーソンたちに迫る。

稲見昌彦
東京大学教授

人間拡張工学は人を幸福にするか

いなみ　まさひこ　東京大学先端科学技術研究センター身体情報学分野教授。一九七二年、東京都生まれ。JST ERATO稲見自在化身体プロジェクト研究総括。自在化技術、人間拡張工学、エンタテインメント工学に興味を持つ。米『TIME』誌 Coolest Invention of the Year、文部科学大臣表彰若手科学者賞などを受賞。超人スポーツ協会代表理事、日本バーチャルリアリティ学会理事、日本学術会議連携会員等を兼務。著書に『スーパーヒューマン誕生！』（NHK出版）、『自在化身体論』（NTS出版）他。

スマホやウェアラブルウォッチに代表されるように、かつてSF世界のものと思われていたようなデバイスが今や身近なものになりつつある。先端テクノロジーは人や社会を幸せにするのか？　人間拡張工学のフロントランナー、稲見昌彦氏に聞いた。

人間は道具をつくり、使いこなすことで歴史を紡ぎ、豊かさを獲得してきた。そして行動能力や認知の最大値さえも日々、更新され続ける現代。どのような技術を用いれば人間はさらなる力を得ることができるのか、また、それによって人間はどのような果実を得られるのか。

こうした視座によって進化を続けるのが人間拡張工学である。この分野のフロントランナーの一人である、東京大学先端科学技術研究センターの稲見昌彦教授に、人間拡張の現在地、研究の過程で得た知見や視点、人間拡張の先に待つ未来などについて話を聞いた。

まずは稲見教授がどのような研究に取り組んでいるのか、いくつかの事例について訊ねた。

「比較的最近では、共同研究者で電気通信大学の宮脇陽一教授とフランスCNRS（フランス国立科学研究センター）の Gowrishankar Ganesh 博士を中心に行っている『第六の指』という共同研究があります。本来五本指であるところへ人工的に六本目の指を装着するという研究です。海外でもいくつかのグループがこの研究を進めていますが、多くは足や反対側の手や足で操作し、人工的な指を動かします。ですが私たちの研究では指を装着したほうの手の、手首と肘の間の前腕部周辺の筋電（筋肉が収縮する際に発生する微弱な電気）を利用しています」

人工の指により近い場所にある前腕部の筋電を利用するということはすなわち、直感的な指のコントロールが可能だということ。本来備わっている指を動かすのと非常に近い感覚で、人工の指を動かせるわけだ。

「小指の外側にロボットの指が付いているという状態なんですが、慣れてくると自分の指であるかのような錯覚に陥るというか、本来の小指と人工の指の境界が段々と曖昧になってきます。それだけではなく、しばらく使用した後に第六の指を外すとちょっとした喪失感を感じるようになってしまうのです。我々がこの研究で求めたのは、利便性を高めることに即繋がるわけではありません。ヒトがまったく新しい身体部位を獲得したとき、脳はその身体をコントロールできるのか、さらにはその部位を脳がどのように認識するかという点でした。その意味で最も大きなポイントは、脳の中で第六の指に相当する部位の活動が見られるかどうかを確認することでしょう。もしそのような活動が見られれば、人工の指ではあるけれど、しばらく使い続けることでおそらく脳が身体の一部として理解するようになったのだろうと推定できます。言い換えれば、人工の指が物理的に加わっただけでなく、脳さえも拡張できる可能性があるということです」

他にも「The Tight Game」なるシステムを開発した。「八百長綱引き」の別名で呼ばれるこのシステムは二人で綱引きをし、両者にこっそりと綱を引く力を外部から加えるというもの。綱引きをする二人の力を計測し、勝負が拮抗するようにしたり、どちらか一方の勝利に加担したりといったコントロールを人工的に行うわけだ。システムは手で握る箇所に力覚センサー、二人のプレイヤーの後部にトルクモーターユニットを設置するという構造。力覚センサーが綱を引く力を検出し、その信号によってトルク出力が制御される。二人のプレイヤーからはトルクモーターユニットが見えないことに加え、綱を強く引いた瞬間にだけモーターが動作する設計のため、マシンによってアシストされている意識はきわめて低くなる。第一義的にはプレイヤーの力量をマシンによって増幅、制御することで、体格差や経験の差が明らかな場合でも、接戦を楽しめるというメリットが得られる。

「技術的なポイントは、アクショントリガーコントロールと呼ばれる機能で、綱を引っ張るタイミングにうまく合わせてパワーをアシストするという点です。たとえばパワーアシスト自転車に乗るとき、人間はマシンの力に助けられているという自覚がありますが、この八百長綱引きではアクショントリガーコントロールによってマシンからの力が加わっても、すべて自分の力で綱引きをしているような感覚になる、つまり自己の力が拡張した錯覚をつくり出すことに成功したということです。我々の研究においては、単にモーターや油圧によって人間の能力を支援することが目的ではなく、それがあたかも自分の力であるかのような身体所有感を得ることに重点が置かれています。こうした力を自身の能力として自然に使いこなすことが、本人の喜び、モチベーションの向上に繋がっていくかもしれないという部分に、私たちは注目しています」

稲見昌彦

第6の指
二の腕周辺の筋電に連動して動作する6本目の指。肉体のみならず、それを認知する脳さえも拡張の対象となる。

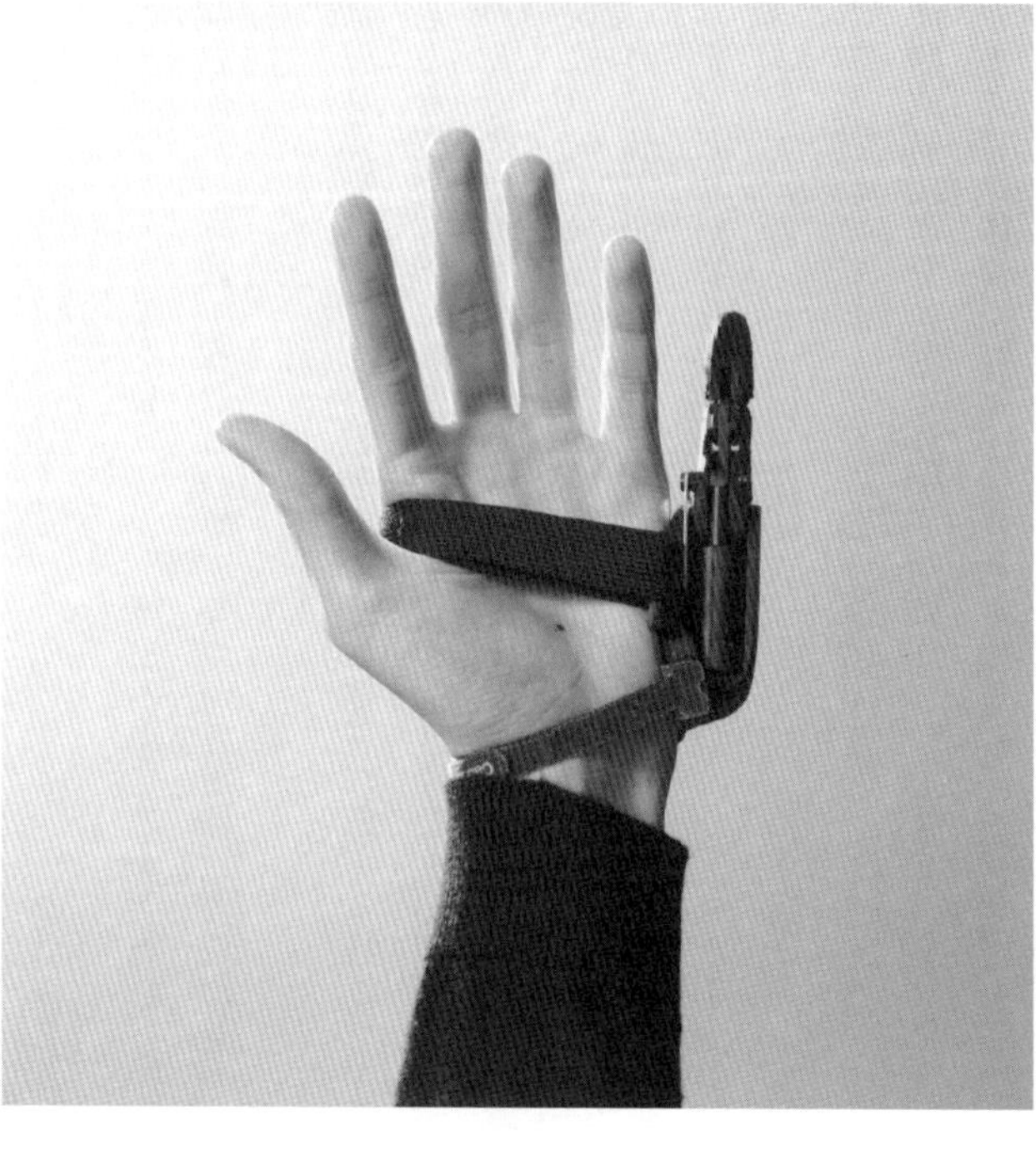

すでに存在する複数の「自分」

人間拡張工学が我々の社会活動においてどのようなメリットを生み出すのか。誰しも興味深い部分だろう。人間拡張工学を社会へ実装するための研究について、稲見教授が語ったのはこのような一例だった。

「私が今、最も注目しているのは、身体を動かした感覚をそのまま他者に伝える技術です。触覚提示装置（物体の形状や大きさを皮膚に伝える装置）や筋電センサーなどを用いて、言葉を使わずに自分の筋肉の動かし方を他者へ伝えるシステムです。身体性をいかに記録し、伝えることができるのか。そしてその記録をいかに変容させることができるのかという点に研究の目的があります。いわば筋肉間通信技術ですね。この技術が社会において活用されるとするなら、まずはスポーツとリハビリテーションの分野でしょう。スポーツのトレーニングでは言葉や身振りでその人が有する技術を伝達しようとします。でも、『もっと強く』とか『腰の力を抜いて』と言われても、なかなかうまくできないことが多いですよね。そのようなケースで筋肉間通信技術を利用すれば、的確にしかもスピーディに身体の動かし方を伝えることができます。身体の機能を回復させるためのリハビリにも応用できるでしょう。実際、この技術に対する企業からの引き合いがすでにあるんです」

一人の人間が有する能力が、テクノロジーによってより正確に他者へと伝承されるこのような研究も、確かに人間拡張の可能性を示唆するものといえる。人間拡張とは何も、一人の人間が自らの能力を自らのものとして増幅させるということのみを意味しないのである。

このように稲見教授が取り組む研究を次々と知るにつれ、スタンドアローンの拡張にとらわれない人間拡張工学の領域が次第に明瞭となってくる。たとえば、心と身体の関係性をネットワーク化する類いの研究は、人間の未来をおぼろげながらも予見させるものだ。

「私たちはすでに、複数の自分を有しているといえるでしょう。インターネットのようなメディア上、自らがキャラクターと化すロールプレイングゲーム上など、身体がデジタル化されていれば、複数の身体を持って生きているといえるわけです。たとえば家でくつろぎながらスマホで仕事のメールを打っているときには、家族といながらも一瞬で仕事モードの自分になっています。私たちは瞬時に複数の自分を使い分けているわけです。あるいはリモートでロボットを意のままに動かすといったシーンは容易にイメージできるでしょう。このように一人の人間が複数の身体に分身し、それぞれの身体を自由に使いこなせるようになると何が起こるのかを、我々は今、研究によって明らかにしようとしています。これは分人化の研究といえますが、一方で合体の研究も進めています。二人の人間の動作を分析し、アバターがその二人の平均的な動きを行うというもの。興味深いのはアバターが、実在の二人の人間よりも早く、正確に行動するといった傾向が見られる点です。私たちは一つの身体を持って、様々なことを経験し、そこで学習したことを次の行動に活かすということを日々、繰り返しています。こうした経験、学習が一人分でなく、複数の人間から得られるとしたら、行動はより早く、正確になり、他者と比べて有利になっていくかもしれません。いわばアバターの中に集合知が蓄えられた結果、もととなる二人より優れた存在になっていく。今はアバターですが、この能力をもととなった二人に還元することができれば、その人たちの能力はアップするわけです。こうした技術は近未来、社会の様々な分野に実装されていくと考えています」

求められる「引き算」の意識

分人と合体による集合知の利用が現実のものとなるかもしれない未来社会。そこでは誰もが複数の分身体をスケジューリングしながら操るようになるのかもしれないとさえ、稲見教授は言う。現地に行く必要が生じればそこに焦点を合わせて自分を光の速さで飛ばすといった手法を用いて、未来の人間は複数の世界を漂う存在になっている可能性があるのだ。

「装着型のカメラやヘッドマウントディスプレイなどはすでに広く知られる技術となっています。この装置で得られるテレイグジスタンスやバーチャルリアリティの利便性がさらに増せば、個人がメディアとなって希少性のある貴重な体験を売買するといったようなことが起こり得るでしょう。この状況を別の角度から見てみると、あるときは誰かの体験をシェアしてもらい、あるときは自分の体験をシェアするという切り替えが行われているといえる。つまり、自分が専有している時間と他人が専有している時間のスケジュール調整さえ行えば、誰の身体であろうが自分のものとしての専有感が出てくるでしょう。ギリシャ語では時を表す言葉に『クロノス』と『カイロス』という二つがあります。クロノス時間は過去から未来へ一定の速度と方向で機械的に流れる連続した時間。カイロス時間は人間の主観的な時間や他者と共有する時間を表します。これからの人間拡張工学においては、このカイロス時間をいかに制御していくかが課題となっていくでしょう。身体のカイロス時間を適切に設計すれば、自己を意識するとともに他者と共有しているという感覚が増し、単なる共有にとどまらない相当の所有感をつくり出すことができるはずです。インターネットが空間を制したとするなら、バーチャルリアリティ技術や人間拡張工学は、時間をどう制するかという課題と向き合うことになるでしょう」

かつては、テクノロジーによって個々の物理的・認知的能力を向上させることが人間拡張工学の目的であると公言してきた稲見教授。注目すべきは、その目線の先が、現在では異なってきていると本人が語る点であろう。

単なる拡張はひとつの方法にすぎず、機能や情報を足し算していく技術は今後、ますます進化していくのは間違いない。だが、ここで稲見教授が興味を抱くのが「引き算」の概念だというのだ。人間拡張を研究する道程において、なぜ「引き算」への意識を強めるに至ったのか。

「以前、私はそのマントを羽織ると後ろの世界が透けて見えるような光学迷彩マントを開発しました。入射した光を散らすことなく真っすぐに戻す性質を持つ、再帰性反射材という素材をマントに用いてこれを実現したんです。マントに背景と同じ映像を投射すると、見ている側には真っすぐに光が戻る。あたかもその人が背景に溶け込んでいるように見えるという仕組みです。つまり生物学的に細胞を透明にしていくのではなく、光学的に透明人間を実現した。この研究のきっかけとなったのがＡＲ（オーグメンテッドリアリティ。コンピュータ内の複数の情報を重ね合わせて表示する技術）でした。そのとき、気づいたのは情報の足し算はいくらでもできるという点です。でも足していくだけでは問題も起こるでしょう。たとえば画面にどんどん文字が溢れてくるとしたら、文字は読みきれない量となってその機能は意味をなさなくなる。機能や情報を足し算すると同時に、引き算についても考える必要があるのではないか、引き算するためにはどうすればいいのかという着眼点から光学迷彩の研究はスタートしたのです。そのような気づきを得たのが約二〇年前。そして近年、私が興味を持つのは、足し算をしていく過程、引き算をしていく過程で身体性はいかに変容していくのか、またどのような場合に変容がむずかしくなるのかという点です」

「自在化」の獲得が、人間の可能性を高める

ここで稲見教授が提示したのは、歩きスマホの事例だった。歩きながらスマホをいじるという行為は、誰もが日常的に行っている。このとき、歩を進める足は自動機械といっていい。一歩一歩どちらの足をどう踏み出すかなどは意識することはなく、スマホの画面に集中できている状態である。ところがつまずきそうになると途端に意識は足へと向き、歩行を続けられるよう足や身体の動きを調整する。そしてまた問題がなくなれば、スマホに意識が戻る。

「引き算というと手足が使えなくなるとか、何かを失うといったイメージを持つかもしれませんが、私が興味を持つ引き算された状態とは、その行為を意識しなくてもよくなる状態を意味します。人間は呼吸や心臓の鼓動などを意識することなく行いながら、会話や運動、仕事に集中することができる。このように日常の動作においては、意図して行う機能と、任せっきりになっている機能が混在しています。人と機械が一体化したシステムの本質とは、このような意識的動作と無意識の動作が高度に統合された状態を指すのだと考えています。人間拡張の技術が進化すると、人間は身体に装置を付けたり、コンピュータで

様々な操作をしたりすることで新たな能力を獲得するようになるでしょう。一方でこの機能は意識して行おう、この機能はオートマティックに任せようといった、いわば手動と自動をシームレスにやりとりする領域の研究は現在、ほとんど行われていません。このシームレスなやりとりを私は『自在化』と呼んでいて、この自在化こそ今、私がすべての研究においてフォーカスしている部分なのです」

人間には本来、優秀なOSが備わっていて、どのような行為を手動で行い、どのような行為を自動で行うかをOSが臨機応変に判断し、複数の行為を同時に行うことができるようになっている。人間を拡張するということはイコール、アプリケーションを増やしていくということであり、これには適切なAPI（アプリケーションをプログラミングするためのインターフェース）の設計と新たなOSへのアップデートが欠かせないというのが稲見教授の着眼点である。だが、このOSにはまだまだ未知の部分が多い。

「ただ機能を追加していくということだけでなく、身体性を変容させようとするときに、その機能が追加された部位や制御の方法などを、いかにして伝えるのか、という理論を構築することが大切です。その理論が明らかになれば、拡張における設計の見通しが非常に良くなります。理論を明らかにして自在性を獲得しないと、人間は真の意味で新たな臓器やコンピュータの中のアバターを自己の延長として使いこなすことができません。ただここでいうOSとは心と身体の関係性そのものですから、ただちにその理論を明らかにするのはむずかしい。現在、いえるのは拡張する機能や情報に関するAPIを人間にとって適切な範囲内に調節することが必要である、という点です。拡張すると同時に、自動化できる部分も増やしていかなければならないのです」

待ち受けるのはユートピアかディストピアか

進化したAIが暴走し、制御不能となって人間に危害を加えるようになる。こうした類いのSF作品は長年、エンターテインメントとして楽しまれてきたが、いまやAIは軍事技術として利用され、無人の攻撃機が人間を襲うといった、かつての空想は現実のものとなりつつある。人間拡張が行き着く果てに、このようなディストピアが待っている可能性はないか。こうした疑問を稲見教授に投げかけてみる。

「たとえば、Webサイトでなんらかのセキュリティ上の問題点を見つけたとき、それをすぐ一般に公開すべきかといえば、そうとは限りません。悪用されてしまう可能性もありますから。最終的にはそのような問題点が広く知られるべきですが、公開するにも順序があるでしょう。同様に人間拡張工学においても問題点をどのように共有し、公開していくかというルールづくりが必要だと思います。いったん、表に出てしまうと開発者には制御できないものになってしまいますからね。ではできることは何かと考えると、その技術が持つネガティブな可能性がどこまでの範囲なのかを想定しておくこと。その可能性を個々の研究者が洗い出しておくことは責任の一つだと考えています。実際、私が悪の科学者であるならこの技術をこう使う、といったシナリオはいくつも書けますからね」

だからといって人間拡張工学の行き着く先がネガティブな未来だとは思わないと稲見教授は話す。人類にとってのオプションを用意するのが自らの役割であり、いざというときにそのオプションを選択できることでポジティブな未来を迎えるチャンスが生まれるというのだ。

「おなかが減っているときは、食べられるものなら何でも欲しいと考えますよね。つまりマイナスをゼロに持っていこうとするときは、最適な手段が一つでもあればいい。でも、ある程度食が満たされている状態でさらに何か食べたいというケースでは、いろいろな食べ物の選択肢があったほうがいいでしょう？　人間拡張においても失った機能を取り戻したいといった場合には、いわば均質化の方向に向かいがちなわけですが、今の状態からさらに拡張したいという場合は、ロールプレイングゲームで好きなキャラクターを選ぶような状態ともいえ、そこには多様性が生まれるのではないかと私は信じています。人間拡張によって分人化が活発になれば、一人の人間が多様な分身を操るようになるでしょう。人間が一つのフォルダにくくられる時代から、いくつものタグが付けられた存在となっていく時代へ移行します。いくつもの分身を行き来しながら人生を楽しむようなイメージです。それこそロールプレイングゲームのように多様な特徴を持った人たちがパーティを組んで、世の中の問題を解決したり、イノベーションを生み出すといった未来を私は夢想していますね」

相互の共感がないユートピアの実現

そもそも万人に共通するユートピアもディストピアも、未来には存在しないというのが稲見教授の見立てだ。なぜなら、技術の進歩によって人間の生きる世界は多元化を極めるようになるからである。一人の人間が複数の個を自在に行き交い、複数の世界を生きる未来。そこには確かに誰もが共感できる一つのユートピアなど存在しない。

「物理的な世界は確かに一つかもしれませんが、バーチャルな世界も考え合わせれば非常に多元的な世界をすでにつくれるようになっているわけです。世界が複数あれば、ある人にとってはユートピアな世界であっても、別の人にとってその世界はディストピアかもしれません。そのような多元的世界を繋げるヒントとなる試みがあります。ドイツのとある研究では、VRゴーグルを用いて一人は釣りのゲーム、もう一人は凧揚げのゲームをするというデバイスが開発されました。釣りの糸と凧揚げの糸は実はシステムの中では繋がっているのですが、プレイヤーは互いに意識することはありません。そしてプログラムをうまく調整すると一方が『釣れた』というタイミングで、一方では『風が吹いて凧が揚がる』ということが起きる。二人はまったく異なるゲームに興じているわけですが、お互いの糸を引っ張る力がうまく作用して二人の目的が達成される。この研究は非常に示唆的であり、私は人間拡張の新たな可能性を感じます。政治の世界では戦略的互恵関係といいますが、価値観をまったく共有していない相手同士でも結果として共同で発展することはできるということです。価値観の異なるAとBという二つのコミュニティを技術の力で上手に繋げてあげれば、実はお互いの役に立つ行動が実現でき、それぞれの求める目的を達成できるかもしれない。複数の世界を生きるようになる人間は、このような社会の実現に貢献できるかもしれないと私は考えているんです」

文＝宇都宮ミゲル

ロボット工学博士

ピーター・スコット－モーガン

NEO HUMANが語る真の人間性とは？

インタビュアー＝大野和基（国際ジャーナリスト）

ピーター・スコット－モーガン　ロボット工学博士。インペリアル・カレッジ・ロンドンを経て、世界的コンサルティングファームであるアーサー・D・リトルにて企業変革マネジメントに従事し、独立。現在、「スコット－モーガン財団」を設立し、障害をもつ人々とテクノロジーの融合というテーマを追求し続けている。

難病ALS（筋萎縮性側索硬化症）によって、運動神経細胞の機能を失いつつある自らをAIに接続する――SF小説のような試みを行っているロボット科学者ピーター・スコット－モーガン。ベストセラーの著書Peter 2.0（邦訳『NEO HUMAN ネオ・ヒューマン』東洋経済新報社）にその模様を描き、注目を集める彼は、過酷な運命に屈することなく、自らを「サイボーグ」と呼び、人類で初めて人間と機械の融合という冒険に乗り出している。今回彼は、本誌のためだけに、eメールでのインタビューに答えてくれた。

――ご自身のサイボーグのイメージは、どのような小説、ドラマ、映画作品から影響を受けていますか？　著書には、『スタートレック』のほか、アシモフの『われはロボット』、そして『600万ドルの男』などが登場しています。

ピーター・スコット－モーガン（以下PSM）　私の若いころの科学教育はすべて、『ドクター・フー』（一九六三年からイギリスBBCで放映されている世界最長のSFテレビドラマシリーズ）と『スタートレック』に源があります。成長するにつれ、これらの楽観的なSFが大好きになりました。これらを観てわかったことは、宇宙のいかなる難問も、聡明さと果敢さをもち合わせ、驚異的なハイテクノロジーにアクセスできれば、解決できるということです。その次に出合ったのが『スター・ウォーズ』で、私の科学哲学の教育はそこで完結しました！

生きながらサイボーグになるとは？

——現在のＱＯＬ（クオリティ・オブ・ライフ）は、手術前に予想していたものと比べ、どうですか？　これからＱＯＬは向上していくと思いますか？

ＰＳＭ　もちろん、今のＱＯＬは以前とは非常に違います。今はサイボーグに変身しつつある過程で、この生活は始まったばかりです。でもＡＩに接続される度合いが日増しに増えることについてすばらしいのは、私の能力がコンピュータのパワーと同じ速度で大きくなるということです。これはよく考えてみるとすごい。コンピュータのパワーは二、三年ごとに倍になっています。これは速いようには思えませんが、たった二〇年で千倍の速さになっています。私の能力も今後二〇年すれば今の千倍になることを意味することにはっと気づきます。ですから、私のＱＯＬには、改善の可能性が大いにあるといえます。

――失ってから、人間の最も重要な機能と感じたのは、特にどの部分ですか。

PSM　最も重要だと感じたのは明らかに呼吸です。呼吸機能がなければ、私はゆっくりと窒息死していました。しかし面白いことに、呼吸を続けるために自分の声を犠牲にすることはそれほどの精神的打撃ではありませんでした。最も辛いのは、顔を動かして感情を表す能力を失っていくことです。まだ少し笑うことはできますが、それもおそらく一年以内にできなくなるでしょう。そうなると感情を伝えるのに、一〇〇パーセント自分のアバター（デジタル環境における分身）に依存することになります。

――本人が希望する、しないにかかわらず、自分の意識の一部（または全部）が、例えばアバターやロボットとしてなんらかの形で後世に残る可能性があることについて、どのように思いますか？

PSM　これは、これからわずか三〇年以内に、多くの人にとって大きな問題になると思います。二〇五〇年までには間違いなく、これはサイエンス・フィクションではなく、サイエンス・エシックス（科学倫理）の問題になるでしょう。最終的にどうするか、自分の意識を残すか残さないかは当の本人の決断に委ねなければならないことは一〇〇パーセン

『スターウォーズ』の銀河帝国軍兵士ストームトルーパーとピーター。

ピーターとパートナーのフランシス（右）。フランシスは、体が不自由になったピーターを現在も献身的に支えている。1980年代前半に撮影。
写真提供＝ピーター・スコット–モーガン

ト確信していますが、これに関する法律が、科学界の実状よりもはるかに遅れていることは十分承知しています。私は国際法が追い付くことに協力できれば、と思っています。でないと我々はひどくアンフェアな状態に陥る可能性があります。

――個人的な感情として、どこまでが自分なのかが曖昧になることに、どことなく不安がよぎるのですが、そのような不安を感じることはありますか？

PSM　現時点で私はすべてのことを眼球の動きでコントロールしていますが、とにかく今は超スローです。しかしながら、すでに私は何か奇妙なことが脳に起きているのを感じています。最初の変化は、眼球を動かすことについて考えるのをやめたときです（注：彼は、眼球の動きで、複数のコンピュータを操作している）。私は自分が求めている一つの文字のことを考えるだけで、残りは眼球が自動的に進めてくれます。文字やコマンドキーがどこにあるのかも覚えていません。二つ目の変化はもっと奇妙です。熟睡して夢をみているときに、眼球を使って単語を綴っている場合がときどきあることに気づきました。しかもそれがまったくノーマルに感じられるのです。最終的には、すべてが拡張された自分の体であるように感じることは間違いありません。

――様々な人間拡張ツールを自分に施していくことと、「ありのままの自分」でいるという理想は矛盾するのではないか、と言う人もいますが、どう思いますか？

PSM　そういうふうに言っている同じ人が、（人間拡張ツールである）眼鏡をこれからかけることがなければ、杖をつくこともなければ、あるいは靴を履くこともなければ、あるいはどんな天気であっても服を着ることも一切なければ、私はその考えを尊重しますが、そうでないかぎり、そのように主張することはいささか偽善的ではないでしょうか。実際には、我々を拡張するという想像力を持つことは、我々の種（species）の、すばらしい特別な才能だと思います。

ワクチンは切り札ではない

――「ピーター2・0」（注：彼は、AIと融合した後の自らをこう呼ぶ）に変貌を遂げ、著書を出版してから、自分の中で、物理的、精神的な変化はありましたか？

PSM　この本を書き終えてから、私の最後に残った筋肉の機能停止が始まりました。しかし、精神的には、逆に自分が以前より強くなっていることに気づきます。それには自分でも驚いています。というのもこの一年は非常に辛い年になるだろうと思っていましたから。しかし、ほとんど四六時中、自分が信じられないほど幸運であることに気づきました。最後の手術をしていなければ、私は二〇一九年の冬に死んでいたでしょう。今の私には、愛もあり、希望もあり、可能性もあり、計画もあります。将来のことを考えるとワクワクします。端的に言うと、今の私は楽しい時間を満喫しています。

――手術をしてまもなくイギリスをはじめ世界はコロナ禍に見舞われていますが、人類は、コロナを克服することができると思いますか？　ワクチンは切り札になると思いますか？

PSM　私は自分が頻繁に接触している人と同じように、できるだけ早くワクチン接種をしました。しかし、ワクチンは切り札ではありません。ワクチンはすばらしい科学の成果ですが、現在我々は、世界中に張り巡らされた航空路線によって、お互いにつながっています。このことは、我々は、近い将来も新しく生じるパンデミックと闘わなければならないことを意味しています。それが今を生きる我々のニューノーマルです。極度におびえるべきことではありませんが、医学研究に対する財政的支援を絶対に減らすべきではありません！

――今回の新型コロナのパンデミックについて、人間が自然を破壊した報いで、自然が人類に対して仕返しをしている、という意見があります。人が創薬のテクノロジーをどんなに発展させても、それを上回る感染力のウイルスが登場します。テクノロジーと自然を対立させるのではなく、両者を調和させるような、新しい思考法、あるいは新しい哲学が必要と思いますか？

PSM　それはロマンチックな考えですが、自然が人間に対して仕返しできるという提言を支持する科学的証拠はまったくありません。安易に自然を責めないで、我々の集団としての愚かさの帰結を進んで受け入れなければならないのではないでしょうか。またパンデミックは予期せぬ結末であるという弁解も通用しません。もちろん、最初は予期せぬ結末でしたが、地球温暖化からの脅威が拡大していることや、種の絶滅、人口過剰、資源枯渇、抗生物質に対する免疫、パンデミックなどについて、何十年も前から我々は知っていました。我々が今直面しているグローバル危機の根本的原因は自然ではありません。それは我々人間です！

LGBTは性の拡張か

——LGBTへの理解は少しずつ進んできているように思えます。これは「性の意識の拡張」なのでしょうか？　単に人間のありのままの姿を受け入れるようになっただけでしょうか？

PSM　人間の脳は、見慣れない、よく知らないことを恐れるように神経回路ができています。それは生存のために必要な特性です。この特性と、できるだけ早く定住したいという欲求がある古代コミュニティ（いくつかの宗教も）を組み合わせると、LGBTコミュニティを拒否するという、偏狭な心が生じる条件が揃います。それでも最近の科学研究をみると、自然界では、同性愛というのは自然に反することではまったくなく、極めて普通であることがわかっています。とりわけ我々と非常に近い種の中では、特にそうです。しかし、もちろんLGBTであることは、性をはるかに超えています。LGBTは愛のことであって、性のことではありません。愛し合っているカップルをみると、重要なことは人種でもなく、宗教でもなく、性でさえもありません。重要である唯一のことは愛です。

——医療技術が非常に発達した未来に、身体的な意味での性転換が現在より気軽にできるような状況が生まれたとき、精神的な性との不一致がないのに性を転換する、あるいは一度性転換した後にまた元の性に再転換する、興味本位で性転換する、といった事象が起こる可能性が想像されますが、これについてどう考えますか。

PSM　まず気軽に性転換するというようなことが起きる可能性は非常に低いと思います。将来、生物学的に性転換が簡単にできるようになるかどうか、私自身確信はありません。しかし、完全没入型VRに入って、自分の好きな性や種を選ぶことは可能になるでしょう。

——第三者の精子を使ったり、代理出産によって「同性婚でも子供をつくる」というような方法について「倫理の壁」はあると思いますか？

PSM　科学的なエビデンスは、同性婚によるペアレンティング（子供をつくって育てること）に関するこれまでの懸念は根拠のないものであることを、明白に示しています。結局のところ、同性愛のカップルは、心の奥底から子供が欲しいと思っているので、優しさにあふれた、すぐれた親になる傾向が強いことがわかりました。悲しいことに、かなり多くのストレート・カップル（男女のカップル）はそういう優しい親ではありません。ですから、私からみると、研究に基づいた倫理は明白です。同性婚のカップルが子供をつくることをもっと奨励すべきです。統計で見ると、その子供のほうが平均よりも愛されていて幸せです。

テクノロジーと「自由」

――著書に、ご自分には芸術家としても大成できるくらいの才能があったと記されていますが、ＡＩが芸術家の役割に取って代わる可能性はあるでしょうか？

PSM　もちろんです。ＡＩはすでに我々人間が鑑賞できるレベルのアートを創造することができます。とはいえ、人間のアーティストのプロセスのような漠然とした思考はしていません。しかし、それよりももっと興味をそそられる問いは、人間のアーティストがＡＩと組んで、どちらも片方だけではできないようなアーティスティックなものを創造できるか、という問いです。私はアートが大好きです。学生のころ、アートと科学の力と組み合わせることができたら、私は喜んでアーティストとしてのキャリアに進んでいたでしょう。

――「自由」という言葉が著書には頻繁に出てきますが、自由には何か制限や、やってはいけないことはあるでしょうか？

PSM　もちろん制限はあります。例えば、誰も他人を意図的に「傷つける」（hurt）自由をもつべきではありません。この「傷つける」が何を意味するかは、文化によって異なります。騒音がうるさい隣人は「傷つけている」と言えるかどうか。復讐としての、あるいは自己防衛として、「傷つける」ことがどれくらい正当化されるか。誰かを「傷つける」ことにおいて、どこまで国が許すのか。でも我々はみんな自由には制限があることに同意しています。特により大きなコミュニティに属することの利益のためには、犠牲を払うという意味での自由の制限です。興味深いことに、私が言ったすべてのことは、人間のための法律（注：AIのためではない）によって守られているだけです。だからAIが自己認識を持つ前に、AIの権利、AIの自由について法制化しなければなりません。

――様々なテクノロジーは、階級をつくり、不自由な人を増やすことにならないでしょうか？

PSM　幸いなことにそれはサイエンス・フィクションの神話です。少なくとも私のようにAIと融合する場合はそうです。ポイントはコンピュータの能力の飛躍的向上の話に戻ります。その能力のおかげで、スラム街や人里離れた村に住んでいる人たちでも、アポロ11号が月面着陸したときと比べると、何千倍もの演算能力を備えた携帯電話をもつ余裕があります。もちろん、どんなときでも、より裕福な国や個人は最新のテクノロジーを使うことができるでしょう。でも二〇年後にはその同じ能力のあるテクノロジーは、千分の一の価格になります。つまり、たった二〇年前の、富裕層向けの贅沢だったテクノロジーは、いずれ誰もが使えるようになるのです。

――AIなどの科学技術の進歩の結果として、例えば、核兵器をどの国ももたない、というような平和の理想を実現するために必要なものは何でしょうか？

PSM　これはテクノロジカルな質問ではなく、政治的な問いであると強く思います。それは最終的に、結果（戦争や平和など）に影響を与えるのは、我々一人一人にかかっていることを意味します。極端なシナリオでは、間違いが多すぎると、二、三〇年以内に地球規模でのカオス状態が出現する可能性があります。でも同様に私が著書で提唱している、人間中心のコース（針路）に向かって、着実に進めば、二〇五〇年までにはグローバル・ルネサンス時代に入ると思います。それが最終的に宇宙の星に我々を連れて行ってくれるでしょう。

——保守的な制約の多い日本と違って、イギリスは昔からラディカルな国といわれてきましたが、それが産業革命を生み出し、多くのノーベル賞受賞者も生み出して、科学や技術の発展にもつながりました。今回の自分のサイボーグ化という非常にラディカルな発想は、イギリス人のそういう面も影響していると思いますか？

PSM　私は幸運にも今までの人生で、多くの日本人の友人をもちました。最初の友人は小学校のときに出会いましたが、彼が「出る杭は打たれる」という表現を説明していたことをはっきりと覚えています。その後、日本には、外部の者に明白に見えているよりも、はるかに多様性があることを知りました、特にその多様性を実現する、洗練された方法があるのです。それは、「相対的同調行動」とでも呼べるもので、行動において相手に合わせることには非常に大きなプラス面があります。これについては、西洋文化の中には、傲慢にも無視している節があるのではないかと思います。

　しかし、私は、フリー・シンカー（自由な考えの持ち主）になるように育てられました。学校では非常に厳しい教育を受け、行儀もよかったのですが、教師が言ったことに対し疑問を呈し、教師のロジックが正しいかどうか分析し、自分たちのクリエイティビティを表明するように仕向けられました。いかなることも額面通りに受け取らず、既存のものに代わる解釈で教師を説得することが奨励されていました。私は社会のエリートになるように育てられましたが、そのエリートたちに最終的に反抗するようになったのは、そういう導きがあったからです。そして、さらにALSという死刑宣告に対して抵抗するのは当然の成り行きでした。

イギリス、そしてAIの未来

――イギリスは、ブレグジット(EU離脱)のような政治的な実験を常に続けています。これは政治的な拡張でしょうか? 後退でしょうか? 個人的にはブレグジットをどう思いますか?

PSM　私はブレグジット論争を実に興味をそそるものだと思いました。実はイギリスがEUに残る正当な理由はたくさんありました。でも離脱する理由も同じくらいありました。その中でどの理由が重要であると感じるかは、それぞれの考え方と感じている懸念によります。理屈で人の気持ちを変えるのは非常に難しいので、議論の両側に位置する政治家たちが、感情と脅し戦術に訴えるのは必然でした。私はいかなる状況にあっても、そこから最高の状態を導き出すことを強く信じています。だから、今ブレグジットについて唯一重要なことは、それを驚異的な成功に導くことです——私はそれが成功することに何の疑念も感じていません。

——シンギュラリティはやはり実現するでしょうか？　だとしたら、予想より早いでしょうか？

PSM　もし地球規模のカオスを避けられたら、シンギュラリティは二〇五〇年のすぐ後に起こると思いますが、従来考えられているものとは異なる形で起こると思います。少なくとも、私は異なる形で起こってほしいと思っています。ポイントは、AIが、人類から独立して発展するままの状態に置かれたら、我々人間は最終的にはAIのペットになってしまいます。私は一九八四年にThe Robotics Revolution（ロボット工学革命）を上梓しましたが、それ以来ずっと提唱してきた代替案は、AIの飛躍的発展に便乗させてもらって自分を拡張することです。つまり、AIとパートナーを組んで——これを私は人間中心のＡＩと呼びますが――人間であることの意味を変えることです。私はそのリサーチのためのプロトタイプ（見本）の役目を今まさに自分に課しているところです。

――科学の発展は無限でしょうか？　限界があるとしたらそれは何でしょうか？

ＰＳＭ　科学の発展を制限できる唯一のことは、人間の好奇心の欠如です。あるいはＡＩの好奇心の欠如です。もしくは、その両者の好奇心の欠如がまじり合ってしまうことです。まあ、そんなことはけっして起こらないでしょうが。

元陸上選手

為末 大

技術革新と人間の思いが、限界を拡張させていく

インタビュアー・文＝生島 淳（スポーツジャーナリスト）

ためすえ だい　Deportare Partners 代表、元陸上選手。１９７８年、広島県生まれ。スプリント種目の世界大会で日本人として初のメダル獲得者。男子４００メートルハードルの日本記録保持者（２０２２年１月現在）。現在は執筆活動、会社経営を行う。Deportare Partners 代表。新豊洲 Brillia ランニングスタジアム館長。Youtube 為末大学を運営。国連ユニタール親善大使。著書も多数。

デジタル技術で人間の能力はどこまで高められるのか。パラアスリートと健常者が同じ舞台で戦うことはあり得るのか。「人間拡張」は、スポーツの世界でも議論が活発化している。元陸上選手でパラスポーツの義足の開発にも携わっている為末大に、スポーツジャーナリストの生島淳がインタビューした。

――スポーツの世界を見ていると、デジタルデバイスの発達が人間の能力の拡張を促していますよね。たとえば、メジャーリーグで大谷翔平選手が本塁打を量産しているのは、デジタル技術による分析で打球の最適角度が三〇度と判明し、理想のスイングができるようになったからだとか。ただ、拡張の一方で失っているものもあるんだろうなと想像しているんです。

為末　いま、人間は数値化できないことを頼りに決定することが苦手になっていると思います。たとえば、暗闇のような微弱な視覚情報しか得られない状況で人間が生き抜くのは厳しくなっていますよね。そのかわり、暗視カメラを持ったりするんですけど（笑）。

――本当にテクノロジー頼みですね。

為末大　写真＝小林鉄兵

為末　未来の世界ではすべてが数値化できるようになるのかもしれないですが、データは必ずしも心理を表すわけではない。たとえば、自分自身の声を録音して聞いてみると、自分が思っていたのと違うなということがありますよね。

――ラジオに出た自分の声を聞くのは、ちょっと嫌なんですよね。

為末　こんな実験があるんです。「こんにちは」という言葉を録音して、二〇人くらい人の声とランダムに並べて聞いてみると、かなりの確率で自分の声を聞き間違えてしまうそうなんです。

――それは間違えそうです（笑）。

為末　これはとても象徴的なことだと思っていて、自分が感じたことよりも、理屈で考えて、自分で分析したもののほうを頼るようになっていますね。この流れはデバイスの発達によって強化されていくのは間違いないでしょう。デバイスで測定、自分でフィードバックをかけて修正する。その流れの中で自分の感覚は失われていくわけで、人間の能力の中で失っていく最も大きい部分だと思います。

外からの刺激で拡張する

――アテネ・オリンピックの体操男子団体総合の金メダリスト、冨田洋之さんに話を聞いたのですが、いまの学生は練習を終えて、すぐにタブレットで自分の演技を確かめる傾向が強くなっていると。もっと、自分の感覚を磨いてほしいんですが、と話されていたことと共通する気がします。

為末　それは興味深い話です。陸上競技でも同じようなことが起きていて、利点はもちろんありますが、目立った弊害としては世界中の選手の動きが似てくるんです。

――世界で情報が同期されていますから、そうなりますよね。

為末　デバイスの進化がもたらした最も大きな影響は可視化です。すべてのことが映像で処理できる。そうなると人間の能力として、どうしてもインプットが優勢になってしまい、反対にアウトプットする力が弱くなり、選手たちの動きが似てこざるを得なくなると思うんです。

――可視化によって、同時代的に才能のある選手がまとまって出てくるといった好ましい影響もあるかとは思います。たとえば、陸上競技でいえば、男子一〇〇メートルや、一一

○メートルハードルでは日本のレベルが一気に上がりました。

為末　浅くいえば、お互いにライバルを意識してモチベーションが上がっていくという話なんですが、今日のテーマに照らし合わせて考えていくと、人間は視覚で捉えたものを、内側に取り込んで模倣したり、影響されることで増幅していくことが、相互に行われているんじゃないかという気がするんです。

――なるほど。能力の高い人間同士が作用しあって限界を突破するわけですね。

為末　最近の研究では、世界陸上の舞台でウサイン・ボルトとタイソン・ゲイが、「引き込み」といって、ゲイの足の軌道がボルトに引っ張られて同調していたという結果が出ているんです。その同調という現象は、同時に起きるだけでなく、時間差でも起こり得ると研究されている先生が発表していたので、ひとつの時代に「動きの同調」のようなことが起きている可能性はあると思います。

――一〇〇メートルでは二〇一七年九月に桐生祥秀が9秒98、二〇二一年六月に山縣亮太が9秒95の日本記録を出しましたが、私自身は、両方のレースにスタートダッシュが得意な多田修平が出ていたのは偶然ではないと思っているんです。

為末　あり得るかもしれないですね。多田選手がペースメーカーになっていた可能性はあると思いますよ。彼のスタートに他の選手たちが同期して、限界を押し広げていた。それでも、東京オリンピックの出場権がかかった日本選手権では、多田選手が逃げ切ってしまったのもスポーツの面白さだと思いますね。

——いろいろな競技で才能ある選手がまとまって出てくるのは、「同期」が影響していたのかもしれませんね。

為末　ひとりだけで引っ張っていくのは難しいと思います。外からの刺激がないと、限界は拡張しづらいでしょう。

先天的と後天的の違い

——人間の能力を考えるうえで、パラスポーツはいろいろなヒントを与えてくれます。為末さんは競技用義足の開発を手掛けるXiborg（サイボーグ）と連係し、開発に参画されています。パラスポーツには様々なクラス分けがありますが、陸上では両脚切断と片脚切断では、使う能力は違ってくるのでしょうか。

為末　大きいのは、義足による歩行と走行を習得しているフェーズの違いでしょうね。いま、両脚を切断している選手で競技力が高い選手たちは、ほとんど先天性なんです。歩行という行為を獲得するタイミングで脚がなかった。そうすると、事故で後天的に脚を失った人と比べると動きのベースが違っていて、明確に義足が身体化しているんです。

――それはとても興味深いです。想像するに、先天性だと神経系統もそれに合わせた発達をするということなんでしょうか？

為末　その発想を発展させていくと、たとえば子どものときにテニスのラケットを持ちながら生活をすべてこなしていくと、ラケットが事実上、身体化するのと同じような現象なのかなと思っています。

――漫画の『巨人の星』の大リーグボール養成ギプスのような（笑）。

為末　そうそう（笑）。先天的に脚がない人の場合、歩行を獲得するフェーズから義足がナチュラルにそこにあるわけで、人間の機能の発達がその時点から違っているんだと思います。

――そうすると、後天的に脚を失った場合、義足による歩行の習得は難しいものになりますね。

為末　私がはじめて義足を使ってみたときに感じたのは、「怖い」ということでした。

――怖い？

為末　義足はカーボン繊維でできているので、力をかけたときにたわむわけです。たわませることがものすごく怖い。義足の場合は、人によって適切なバネの強さがあります。素材のカーボンを厚く、硬くしていくと反発力が高まり、速く走れる可能性は膨らみますが、踏んでもたわまなくなってしまいます。

――先天的だと、そのフェーズでの恐怖がないわけですか。

為末　先天的に脚がなかった人は、義足に自然に体重をかけていきます。後天的に脚を失った選手の場合、脚がついているときのように歩いたり、走ることを求めてしまうわけです。今後は義足をつけたタイミングによって、違う走りに分かれていく可能性があると思いますね。

――道具の強度を人間が扱えるかどうかの勝負になっているわけですね。

為末　他の競技の例でいえば、テニスのガットの素材を進化させ、ゆるみのないほど強く張ったとします。強烈なボールを打つことは可能になりますが、そのラケットを人間が扱いやすいかというと、そんなことはないですよね。要はたわみが大きく、反発力を生み出す力が大きい道具を使いこなせる人が、パラスポーツでは競技力が高いということにつながっています。

――ところで、義足の製作期間はどれくらいなんですか。

為末　義足というのは何枚かのカーボン繊維を圧着して、型を作っていきます。その作業に二、三カ月はかかります。新しい型を作るとなると、もう少し時間が必要です。

――カーボンと聞くと、高価なものを想像してしまいますが。

為末　原材料費でもかなりかかりますね。最終的には数十万円というところでしょうか。

――どうしてもお金のことが気になりますが、パラアスリートが使う義足だと、耐久性はどれくらいあるんですか。

為末　トップの選手だと一、二年くらいで交換する感じです。時間の経過に伴ってたわみが弱くなっていき、反発力が失われていくので。

――競技を続けるのはお金もかかるということですよね。いま、義足メーカーで世界的に有名なところはどこでしょうか。

為末　世界で大きいのは、ドイツのオットーボックと、アイスランドのオズールの二社です。両社ともにそのバックグラウンドは戦争です。軍人に対する福祉の領域から義足の開発に入ってきたわけです。

――アメリカではパラリンピックに参加するレベルになると、傷痍軍人の割合が高くなり、政府の補助によって道具をアップデートできますよね。

為末　日本は福祉の領域でやっていますから、そのあたりの発想はアメリカとは大きく違います。

――パラスポーツの用具の進化は、たとえば、シニア世代の歩行機能の補助であるとか、市民生活へのプラスも考えられますか。

為末　これもまた、先天性と後天性に分かれます。後天的な障がいへのサポートは高齢化社会との親和性があると考えられます。先天性の場合は、デジタルネイティブと同じロジックで、「義足ネイティブ」は違った動きをするので、独自の進化を重ねていくのではないでしょうか。

上半身の巨大化

——スポーツ界では、義足の選手と健常者が一緒に戦うことに倫理的な議論がなされています。実際に、南アフリカの両脚が義足のランナー、オスカー・ピストリウスはロンドン・オリンピックに出場し、四〇〇メートルで準決勝に進出しました。こうした問題について、今後はどのような方向に競技が発展していくと思いますか。

為末 陸上競技でいえば、二〇〇メートル以上の種目は義足を履いたほうが速くなると思います。義足の特性として、クラウチングスタートから深い角度で脚を押していくフェーズでは不利なんです。研究によると、義足の選手は加速の部分では不利なんですが、勢いがついてくると義足のバネがどんどん効いてくるんです。

——飛行機が巡航速度に入るようなイメージですね。

為末 走り出してだいたい五〇メートルから六〇メートルあたりから、義足の特性が出現します。ところが、一〇〇メートルでは距離が短すぎて、特性が発揮するところまでいかないんです。

——面白いですね。一〇〇メートル走では、人間は六〇メートル地点で最高速を迎え、だんだん減速していきますが、義足の選手はそこから速くなる。

為末　そうなんです。一〇〇メートルでは間に合わないけれど、二〇〇メートルあれば、バネの強みで健常者より速く走れるようになり、四〇〇メートルでは明確に強みが出るようになります。最後の直線、四〇〇メートルは人間だと無酸素運動の限界点を迎えますが、義足の選手だとそこからが速い。おそらく、四〇〇メートルだと、心肺機能については健常者ほど負担がないと思われます。

——跳躍系の種目はどうでしょう。走り幅跳びのマルクス・レーム（ドイツ）は二〇二一年に8メートル62センチを跳び、将来的には健常者の世界記録、8メートル95センチを超えるのではないかともいわれています。

為末　レームはゲームチェンジャー的な存在の選手ですね。実は義足の開発スピードは、以前ほど劇的に改善しているわけではないんです。いままでは毎年一パーセントか、〇コンマ数パーセントというレベルです。レームが秀でているのは、義足に対する学習能力が高いことなんです。

——なるほど。今後は、走り高跳びの選手も、すごい記録が出そうです。

為末　ハイジャンプも出てくるかもしれないですね。走り高跳びの場合、トップレベルの選手の性質として、高身長であることがひとつ条件になっていますが、高身長のパラアスリートがいないので、もしも出てきたとしたら、すごい記録が生まれる可能性はあると思います。

——やはり、パラアスリートが人間の限界突破を、健常者に先んじて見せる可能性はあるわけですね。

為末　パラアスリートの進化の方向性として考えられるのは、上半身の巨大化です。人間の走り方を考えていくと、上から地面を潰し、そこで溜まった張力が跳ね返ってきて走るわけです。人間の足の腱や弾性を考えると、ある程度の強さまでしか踏めません。ところが、義足の場合はどんどん素材を硬くして、反発力を最大化することが可能です。そうしたときには、「重さ」が大きな要素になります。

——体重が増えれば、地面に伝える力が大きくなり、跳ね返りも強くなる。

為末　そのとおりです。ですから、イメージとしてはプロレスラーのような強固な上半身を作り、腕を振ることで硬い義足を潰すような走り方をしていく。私はパラアスリートの走ることに関していえば、強化の最適化は上半身の巨大化に集約されていくと思います。

――アメリカンフットボールのラインバッカーのようなイメージがします。

為末　そうそう。それに近いかもしれません。

――ただし、健常者とパラアスリートが同じ舞台で戦うことに関しては、公平性の問題など、スポーツ倫理が問われそうですね。

為末　様々な要素を考慮していくことは必要でしょう。

ジャンプする車いす

――義足、車いす、いろいろな道具の進化に合わせてルールも対応していかなければならなくなりそうですね。

為末　車いすについて面白かったのが、パラスポーツのバスケットボールは、最初は楽しむ程度のものだったのが、激しいプレーへと進化してきて、ふたつの車輪の後ろにもうひとつ車輪をつけて転倒を防ぐようになっているんです。

――それは知りませんでした。

為末　いまは転倒防止用ですが、車いす本体とのジョイント部分をものすごく硬いゴムにすれば、理論上、車いすが跳ぶことも可能らしいんです。

――車いすが、跳ぶんですか？　ジャンプ？

為末　重心を後ろに傾ければ、ジョイント部分にたわみが生まれ、それによって生まれたエネルギーが跳ぶ力に変換されるわけです。いまの車いすバスケットボールは腕の長い選手に有利になっていますが、車いすがこうした方向に進化をすれば腕の長さは無効化されますよね。

――いまはレギュレーションで車いすがジャンプすることは禁止されていないわけですか。

為末　いまはそんなに厳しいルールはないと思います。もしも実用化されれば対策される可能性はあるかとは思いますが、見ていて面白い方向にゲームが進化していく可能性もありますね。

――用具がハイテク化してきたことで、パラアスリートのメンタル面にも変化がありそうな気がします。

為末　意識の変化はあるでしょう。人間と義足の関係性を振り返ってみると、最初は「そこにある器具にあなたを合わせてください」という福祉領域の発想でした。

――義足にたわみがない時代ですね。

為末　それが競技用義足が開発され、義足が曲げられるとわかった時点で、人間が合わせるのではなく、選手のほうから「用具をこのように変えられないか」という要望が出てくるようになったんです。

――主従が逆転した感じですね。

為末　人間が物に合わせるフェーズから、人間に物を合わせる段階に入ってきました。技術革新と、人間の思い。この両輪が限界を拡張させていく構図はこれからも続いていくと思います。

平沢　進

ミュージシャン

ディストピアを脱却するためのデトックス

ひらさわ すすむ　ミュージシャン。一九五四年、東京都生まれ。七九年にバンド、P-MODEL結成。九四年にはコンピュータとCGによって、観客と空間を作り上げる「インタラクティブ・ライブ」を開催。現在までアルバムの発表、ライブの開催を精力的に行っている。近作に『BEACON』がある。

インターネット黎明期の一九九〇年代前半、早々に音楽活動に技術を取り入れ、近年行われているステージでもレーザーや雷の走る自作の楽器で観客を魅了する平沢進。まさにテクノロジーをもって「人間拡張」を続けているかのように見える彼の、核にある考え方とはどのようなものなのか？

――ソロアルバム『BEACON』が二〇二一年七月にリリースされましたが、コロナ禍の一年半、いかがお過ごしでしたか。そしてこの状況をどのようにご覧になっておられますか。

平沢　ふだんは茨城県つくば市の自宅でほとんど「幽閉」状態です。『BEACON』のレコーディングも、Back Space Pass のストリーミング配信もここでしています。

この不安げな疫病情報が蔓延する状況については、マスメディアやインターネットも含めて、ほとんどの情報が正確ではない、と考えています。不安を煽るのが目的のようにすら見えます。誰もが不安を前提として判断力を失い、あらゆる情報を吟味せず受け入れてしまう。事実でないものを事実と信じ込み、真実を探ろうとする人たちを認知的不協和によって感情的に攻撃し、信用を落とすのに一役買っている状況が生じていると思います。

冷静にあらゆる矛盾を察知しつつ、疑問を持ち続け、多数派に同調しない姿勢で暮らしています。

「フォロワー二四万人」への違和感

――今年の四月には大阪フェスティバルホールで「24曼茶羅《ふしまんだら》」の公演が行われましたね。ツイッターのフォロワーが二四万人を超えたことを記念するものとのことですが、その意図は?

平沢 以前に九万人を超えたときにも「第9曼荼羅」をやりました。同じことを繰り返すのは性格的に嫌なのですが、その後もフォロワーの増加が止まらない。もう一度ここで固定して再始動を宣言しなければと考え、あらためて二四万で区切りました。

そこで「第9曼荼羅」でも「24曼荼羅」でも、単純にドラムをその数だけ叩くという、何の意味もないバカバカしいパフォーマンスをやりました。そのバカバカしさは、フォロワーが増えていくのと同じように私にとっては無意味だ、ということの表明でもあります。フォロワー数に価値を置く世界を堰《せ》き止め、そのようなバリューは無意味だということを

平沢進　写真＝幸田森

強調するため、ただその数だけドラムを打つということをやって見せたんです。

ツイッターを始めたとき、自分のフォロワーは最大でも二〇〇〇人だと思っていたんです。ところが予期せぬ潮流と偶然合致したのか、ネット上での平沢像が拒めど拒めど勝手に大きくなっていった。いくら「フォロワー減らし」を試みても、全然減ってくれないんです。

――コロナ禍の中での公演には困難もあったかと思います。

平沢 実際、さまざまな圧迫を感じました。いろいろな「要請」がされるのですが、それらは事実上、強制や圧力のニュアンスを持っている。

でも冷静に見ていくと、それを言う者には何の権限もないんです。そうしたなかで、保障された権利と抑圧され得ない自由意志をもって開催に踏み切りました。ただし公演は私一人だけが動くものではなく、立場ごとにそれぞれの解釈がありますから、うまくバランスをとらなければなりませんでした。

――ご自身ではネットでの人気をどう分析していますか。

平沢 ごく大雑把な感触しか持てないのですが、そろそろ皆が世の中の既存のエンターテインメントに飽き飽きしているという気がします。私の新譜アルバムが出るたび、アマゾンの特定ジャンルであっという間に一位になるのですが、それを喜んでいる場合ではない。むしろそんな世の中はおかしいぞと思わなくてはなりません。既存のエンターテインメントに飽き飽きしている人たちが、それ以外のものを探しても行き当たらないときに、たまたま平沢進を見つけて、それが彼らの求めている質感と合致したのかもしれない。

フォロワーが他にどんなコンテンツが好きなのかを見ていくと、「なぜこのアーティストと私を一緒に聴くことができるのだろう?」というものが非常に多い。彼らにとっては私もテレビタレントの延長かもしれない。ただ、これまで大手メディアから流れてきたものとは明らかに違う質感を持ったものと受け止められているように思います。

——「違う質感」?

平沢　ええ。おそらく私の態度があまりに他の人たちと違うからでしょう。あらゆるものがバリューを善とする古びた文化の文脈から出られない状況の中で、私だけがなぜかそこから解放されていて、いわば「前例」という緩衝材なしで現実と接しているような、ヒリヒリする感じがあるのだと思います。何を言っているかはよくわからないけれど、なぜか説得力がある、そんな捉えられ方をされているようですね。
その程度の大雑把な分析しかできませんが、それは大いに問題だと思っているんです。つまりこれは私が面白いんじゃなくて、世の中がつまらなさすぎるということだからです。

——その状況は、平沢さんにとっても居心地のよいものではないのですね。

平沢 私はいまの膨大なオーディエンスを、どこかで無気味だと思ってるんですね。ある意味バリューに引き寄せられる習慣の残像、日和見の集合的な意味合いもまだ払拭できる段階ではないと感じているんです。マス芸能時代の遺物であるこの体質をデトックスしていくために、ツイッターのフォロワーに対してはつねに、「おまえたちも自分で考えてくれ」と言い続けています。自分自身も、いまは別の意味でデトックス期間だと認識しています。

電子楽器とインターネット

——最初にハマったのはエレキギターだったそうですね。アコースティックだったギターが電気によって「拡張」されたからでしょうか。それから次第に電子楽器に関心が移っていくわけですが、何がきっかけでしたか。

平沢　一九六八年にウェンディ・カルロスの『スウィッチト・オン・バッハ』という、モーグ・シンセサイザーを使ってバッハの曲を演奏したアルバムが出たんです。突然、目の前に「自動演奏する機械」が登場した。ケーブルだらけで、かろうじて鍵盤のようなものはついているけれど、「機械そのもの」の存在感に圧倒されました。人間の身体的能力を必要とせず、脳内にあるものがそのまま転写される自律した機械に見えて、そこにエレキギターをはるかに凌ぐものを感じたんです。

シンセサイザーのような電子楽器は、一般的には「冷たい」とか「機械的」という印象を持たれることもあります。そうした人間性を否定するかのようなもの――実はそうではない、と私は思っているのですが――に惹かれた理由は、当時の主流メディアだったテレビで見る音楽文化があまりにも偽善的かつ欺瞞的に感じられたからです。恨みつらみのような出口のない感情や抑圧される姿が、人間の本質であるかのように脚色され、ゆえに「愛」を賛美するような欺瞞の温もりを無気味に感じていました。そういう世界観に同調する感受性も、ある意味外部から拡張された機能といえるでしょう。そうしたなかで、シンセサイザーの「冷たさ」のほうにリアリティを感じたんですね。

　音楽とは要するに物理振動ですが、それが電子振動へと抽象化されていくに従って、むしろ温度が発生するように感じた。そのように人間的な「温かさ」とでも呼ぶべきものが発生してこない限り、何ひとつ信じられないなと思ったんです。

——その後、レーザーハープやテスラコイルなどのオリジナル電子楽器を製作し、ステージで使うようになっていきますね。

平沢　いまライブで使っている自作楽器には、「音楽の身体性をデジタル世界で実現する」という共通のテーマがあるんです。デジタル世界では、実は身体性がなくても音楽は成立してしまう。だとすればライブやショーの意味はどこにあるのか、そこに人間が出てくる意味がどこにあるのか。

　打ち込みで構築される音楽を作っている人間にとって、ステージの準備段階で仕事は終わっている。それでも人々が「ヒラサワという人間」を見たいのだとすれば、自分がステージ上で動くための前提を作らなければならない。そこで「体が動くテクノロジー」が必要になりました。テクノロジーのレベルは低くてもかまわない、むしろ当初はわざとローテクでやりましたが、ステージで体を動かす条件を与える技術を電子楽器に組み込んでいったんです。

——本書のテーマである「人間拡張」はマクルーハンの著書『人間拡張の原理』を想起させます。インターネットは彼が広く伝えた「グローバル・ヴィレッジ」を体現したと言われますが、平沢さんはきわめて早い時期からネットを積極的に活用なさってきましたね。

平沢　一九九三年にリリースしたP－MODELの『big body』というアルバムはまさに「グローバル・ヴィレッジ」に生息する人々のテクノロジーによって拡張された身体性がテーマでした。当時は「グローバル・ヴィレッジ」という概念がインターネットにそのまま投影できた、まだ幸福な時代でした。

パソコンをインターネットにつなぐソフトウェアはすべてインターネットの中にあり、いわば「この缶を開ける缶切りは、缶の中にあります」という状況だったけれど、その中で強者たちがインターネットにつなぐことに成功していた。ここに興味深い構図があります。ネットによって身体機能拡張を目指すにあたって、まず自分の思考を技術の補助なしに拡張する必要があったのです。その時代はまだ大手メディアも権力を持った企業もインターネットに参入していなかったので、市民発の純粋なコミュニケーションがありました。

――ネット環境は平沢さんの音楽制作にどのような変化をもたらしましたか？

平沢　それ以降再結成したP－MODELは大阪に二人、東京に二人と関西と関東にメンバーが分かれていて、そういった障壁を抱えながらどうすれば活動していけるのか、というテーマがありました。一人でもできる電子音楽を、距離を隔てたグループによってどのように拡張するか。物理的な距離を超える試み自体が一つのテーマで、ことさらに距離の離れたメンバーで結成したんです。

この時期のライブでは、インターネットの中で拾ってきた情報を、進行に沿って展開するストーリー作りもしていましたね。

「人間拡張」の前提を疑え

――その後の情報テクノロジーの発展はきわめて目覚ましい反面、さまざまな弊害も出てきました。コロナ禍の日々はそれを可視化しているように思えます。

平沢　テクノロジーによる「人間拡張」が、何を前提としているのかが問題だと思うんです。たとえばいま、リモートワークをするためのサポートシステムがいくつもありますよね。でも、「そもそもリモートワークはなぜ必要になったのか、それは人間が幸福のために望んだ環境の延長にあるのか」という前提を考えないままに、それを人間拡張として受け止めては意味がない。

リモートワークの制御系が一体どこにあるのかといえば、根本的な制御系は巨大IT企業の側にある。当事者である人間の側にあるわけではないんです。ここを間違えると、テクノロジーによる人間拡張という議論はまったく無意味なものになってしまいます。

――すでに「情報弱者」と呼ばれる人たちがいて、格差を助長している面もあります。

平沢　いつの間にか、「情報弱者」のままでいると圧倒的に不利な世界が構築されてしまったわけです。しかもその前提はユーザー自身が作ったのではなく、ある意図を持って巨大化していった勢力――勢力という言い方がおかしければ、そうした「潮流」が作り出したものです。圧倒的に不利とは、人間の自由意志を制限する意図を持った情報に簡単に利用されてしまうということです。いまが正にその時です。

現在の情報テクノロジーに接する際は、「その中でどうサバイヴするか」という立ち位置でない限り、この「潮流」に加担することになる。だから人間拡張に向かうにあたって美辞麗句による宣伝を冷静に見つめ、自分が置かれている環境の中でテクノロジーが自分に自由を与えようとしているかどうかを評価しなければいけないんです。

テクノロジーが苦手なオジサンが、皆が持ってるから自分もスマホを買おうと考えたとき、頻繁に遭遇する「もっと便利に、もっと自由に」という言葉が実は自己否定だということに気づけるかどうかが重要なんです。「このサービスは自分の生活を拡張してくれる」と安直に考えてしまったら、その時点で敗北しているのと同じです。

国家より強い権力を持ったIT企業が存在する世界を前提とした場合、どのような美辞麗句で装飾された技術やサービスでも、人間の拡張は最後に必ず人間否定に行き着きます。ユーザーの自由な意思決定によって自らを拡張するのではなく、拡張させられるようになるんです。つまり、人間の現状を否定しない限り新技術を普及させられないという資本主義の宿命がそのプロセスの中で利用されていきます。インターネットの現状を見ればわかるとおり、黎明期にはユートピア的であったものが、企業が介入してくるにしたがって人間否定の場になっていった。もちろん良い面もあり、それはここであえて触れる必要もないでしょう。

　その制御系はもう私たちの側にはないので、いわばディストピアに反転した社会に人間のほうが合わされていきます。制御系を常に自分の中に持つという「人間性の拡張」を先に完了しない限り、「テクノロジーによる人間拡張」は必ず人間否定になります。

――平沢さんがよく仰る「思考回路のデトックス」とはそういう意味なのですね。

平沢　ええ、そうです。自分の思考や感受性の中にいつの間にか存在する毒を発見し、デトックスしていくなかで、既成概念や条件付けされた思考習慣や制限された能力の抑圧が剝がれていくにつれて、ものすごい能力を持った輝かしい存在が人間本来の姿ではないかと気づくようになりました。単なる性善説ではありません。誤解を恐れずに言うと「神のようであるのが人間の本来の姿」という確信に圧倒されるほどの予感に出くわします。その感覚への信頼がなければ、このディストピアの中で絶望するだけです。さて、本来そのような性質である人間がテクノロジーのサポートを受けて拡張されるという発想はどこから生まれるのでしょうか？　それは人間の自由意志と能力を制限しようとする潮流から生まれる発想です。いま人間に必要なのは「拡張」ではなく、デトックスです。

――ディストピアの中で生きる人々にとってできることはなんでしょうか。

平沢　いま進行しているディストピアを転換させる鍵は、いままで徹底的に叩き込まれてきた世界観や思考習慣、世界を眺めるための文脈から脱出することです。

この一〇年ほど、人間の組織や小集団の中で何か問題が起こったときに、人はどのような枠組みで問題を捉え、解決しようとするのかを観察してきました。実はほとんどの場合、問題は存在していないんです。人は何か障害にぶちあたると、そこに原因となる人間が存在すると考え、その人間を特定し、ミス、怠慢、悪意などの存在を明らかにしようとするプロセスに入ります。つまり、悪い人間が巻き起こしたとするストーリーを展開する「問題創造」が始まります。

ところが実際は物や人材の物理的な配置や情報共有の仕方が不適切であることがほとんどの原因で、「問題創造」そのものが問題であり、解決から遠ざかるものだと気づきました。誰もが例外なく「問題創造」を始めてしまうのはなぜなのか。二項対立的な枠組みの中で問題を解決しようとする発想は長い年月をかけて仕込まれたものです。でもそれが解決から遠ざける「問題創造」の迷路に人を追い込み、解決に至らないのならばそのような思考習慣は捨てなければなりません。人を怒らせたり、ストレスを溜めさせたり、存在しなかった問題を創造させるという余計なことさえさせてしまう考え方は、人を成長させないし、人を分断するだけです。

だから、それはデトックスしなければいけないし、そのためには反射的に生じる思考習慣を一旦停止させる勇気が必要です。反射的な思考習慣を刺激するレッテルや文脈で溢れた世界の前で立ち止まっているリスナーやツイッターのフォロワーが、人を不幸にする潮流を嗅ぎ分け、そこから自らを切り離してサバイバルするヒラサワを見て、各々のサバイバルのヒントとしてもらえるなら、仕事のしがいがあるというものです。ありがとうございました。

インタビュー・構成・文＝仲俣暁生

脳科学者

渡辺正峰

機械の中で第二の人生を送る

構成・文＝田崎健太(ノンフィクション作家)

わたなべ　まさたか　脳科学者。東京大学大学院工学系研究科准教授。一九七〇年、千葉県生まれ。東京大学工学部卒業、東京大学大学院工学系研究科博士課程修了。同助手、同助教授、カリフォルニア工科大学留学などを経て現職。専門は脳科学。著書に『脳の意識　機械の意識』(中公新書)、『理工学系からの脳科学入門』(共著・東京大学出版会)など。

人間の意識を機械に移植する。SFの話ではない。東京大学大学院で脳神経科学を専門とする渡辺正峰准教授は、約二〇年後の実現を目指して研究している。究極の人間拡張、不老不死への挑戦でもある。ノンフィクション作家の田崎健太が、意識のアップロードの最先端に迫る。

良質なサイエンス・フィクション——SFは、その時点での科学的知見をもとにした創作であり、時に予言の書となる。

一九九四年にグレッグ・イーガンが発表した『順列都市』（山岸真訳、ハヤカワ文庫）はそんな一冊だ。

舞台は記憶や人格などの情報をコンピュータに移植——アップロード可能となった二一世紀半ば。二〇二〇年に〈個々のニューロンをマッピングし、個々のシナプスの特性を解析できる段階に到達〉し、〈スキャン装置を組みあわせて、あらゆる心的機構を司る脳の構造を生きているヒトから読みとり、じゅうぶんな能力をもつコンピュータに複製することも可能となった〉のだ。ニューロンとは神経回路網を構成する細胞、シナプスとはニューロンとニューロンの接続部を意味する。

富豪たちは、コンピュータの中に自らを〝コピー〟して不老不死の存在となっていた。彼らの不安は何らかの社会変化によってコンピュータの電源が切られることだ。そこにこの世界が終わったとしても永遠に存在し続けられる方法を提案する男、ポール・ダラムが現れる――。

脳科学者の渡辺正峰はこの本を読み、自身の最終目標との類似に驚いたという。

彼の著書『脳の意識　機械の意識――脳神経科学の挑戦』(中公新書)はこう始まる。

〈未来のどこかの時点において、意識の移植が確立し、機械の中で第二の人生を送ることが可能になるのはほぼ間違いないと私は考えている〉

手の込んだ電気回路

渡辺は一九七〇年に千葉県で生まれた。

「恥ずかしい話なんですが、脳にはあまり興味がなかったんです。東大の理科一類に入ったとき、理論物理がやりたかった。ところが同じクラスでさえも自分よりも数学的センス

渡辺正峰　写真＝菊地和男

がある人が何人もいた。それで、あっ、これは駄目だなと思ったんですね。その後、NASA（アメリカ航空宇宙局）に行きたいと思って、（学科の進学先の）希望を航空宇宙工学科に出したんです。それが、点数がわずかに足りず、原子力工学科に進みました。ただ、NASAに行きたいという思いを捨てきれず、核融合ロケットの研究を目指していたんです」

そんなとき、参考資料を探しに行った書籍部の本棚で、合原《あいはら》一幸編著の『カオス―カオス理論の基礎と応用』（サイエンス社）に出くわした。

脳の〝の〟の字も表題にないのに、脳のことばかり書いているこの本をきっかけに、脳に惹きつけられることになった。

その一つが、一九六三年のノーベル生理学・医学賞を受賞したアラン・ロイド・ホジキンとアンドリュー・フィールディング・ハクスリーの研究である。

「ニューロンは大きく分けて三つの構成要素に分けられる。入力を受け取る〝樹状突起〟、その入力をまとめる〝細胞体〟、そして出力部にあたる〝軸索〟。当時からニューロン内部で何らかの電気反応が起きていることはわかっていましたが、直接観測する術《すべ》がありませ

ニューロンとイカの巨大軸索

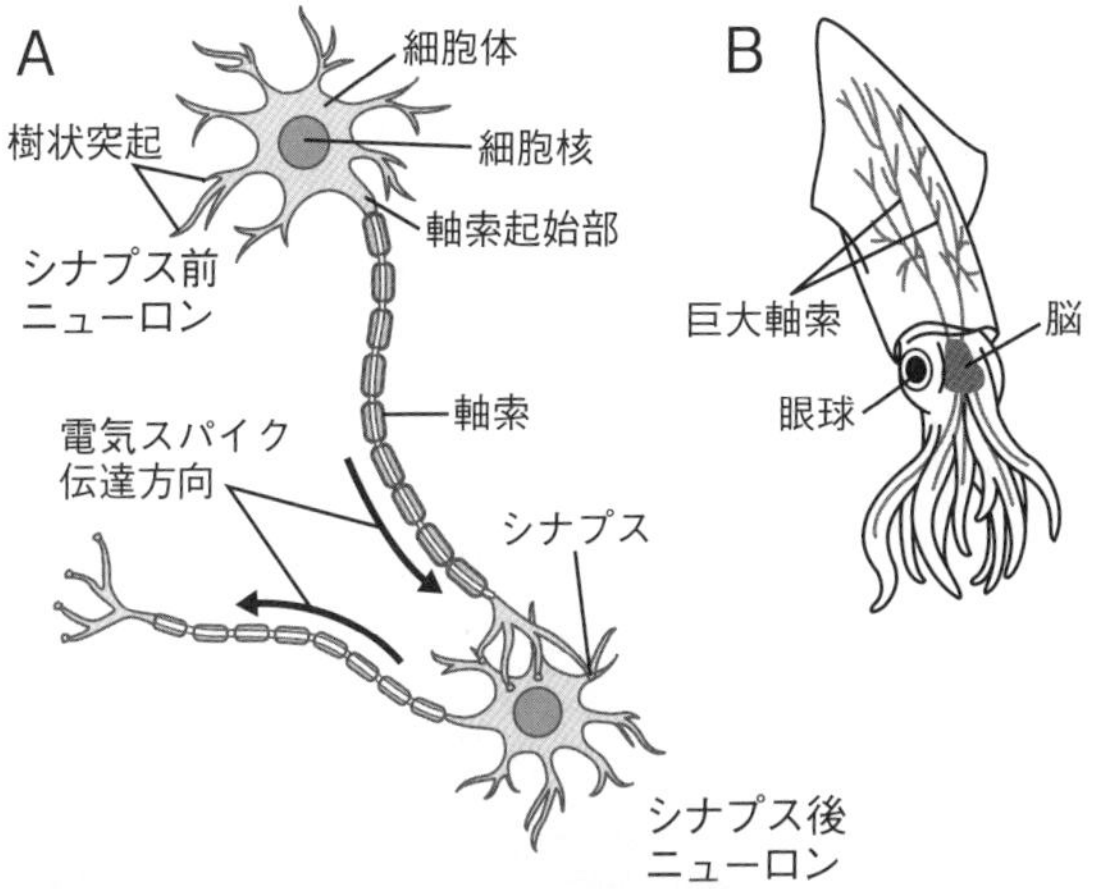

両眼視野闘争

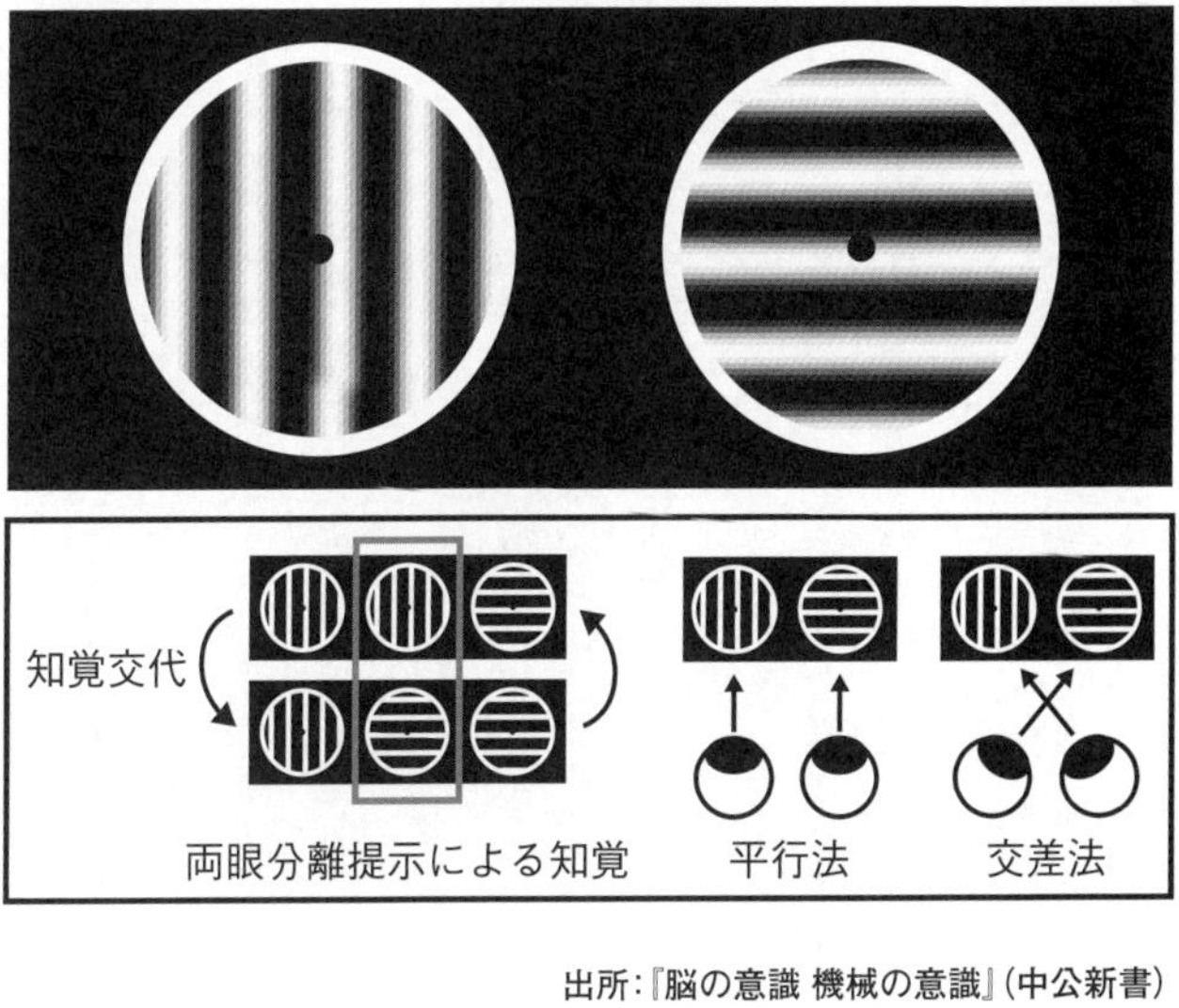

出所：『脳の意識 機械の意識』（中公新書）

んでした。そこで二人はイカの出力部にあたる軸索に電極を挿入して内部の電位を直接的に測定しようとしたんです」

電流は水のように高いところから低いところへと流れる。電位とは、電気の標高差のようなものだ。二人は軸索の中の電位変化を確認したのだ。この電位変化は「電気スパイク」とも呼ばれる。

やがて脳のニューロン間を電気スパイクが行き交っていることがわかった。

「脳って神格化されているところがある。〝神がかったもの〟と捉えられていますよね。でもストリップダウン（＝取りはずす）してしまえば、電気回路に過ぎない」

我々の身近にあるコンピュータも電気回路である。

この電気回路の進化は凄まじい。チェスではすでにヒトはコンピュータに勝てなくなった。苦手とされた画像認識でもディープラーニング（深層学習）という脳を模したソフトウエアにより能力は飛躍的に向上している。

ただし、現時点でコンピュータにまったくないものがある。それは、物を見る、音を聴く、手で触れるなどの「感覚意識体験」――いわゆるクオリアである。

クオリアを獲得する

ヒトの情報の九割は視覚から得ているといわれている。ほとんどのヒトにとって「見える」ことは当たり前である。では機械は見えていないのか。

「見える、という感覚を説明するのは本当に難しい。わからない人にとっては禅問答のようなもの。ある学会の帰りに脳科学者の友人から〝お前の話は全然わからない〟と言われたことがあります。帰りの二時間ぐらいずっと説明していた。それでもわからないと。そして半年後になって〝わかったかもしれない〟と連絡がありました」

そして「逆に、なぜ世界が見えているのかって考えたほうがわかりやすいかもしれません」と付け加えた。

ヒトの二つの眼は、右脳と左脳の二つの脳半球と繋がっている。人の正面、垂直子午線と呼ばれる線の左側は右半球、右側は左半球と担当領域が分けられている。眼だけでなく、皮膚感覚、運動制御も左側は右半球、右側は左半球が担当している。そして左右の大脳皮質は、神経繊維束によって結ばれている。

「両眼視野闘争」と呼ばれる実験がある。これは右に横縞、左に縦縞といった具合に異なる図形を使用する。被験者は、ぼんやりと遠くを見るようにして「平行法」あるいは「交差法」によって二つの像を重ねる。

「数秒間隔で、縦縞と横縞が切り替わるはずです。これは知覚交代と呼ばれる現象で、切り替わるときのほんのわずかな瞬間を除けば、二つの図形が混じり合うことはありません」

機械に過ぎない、デジタルカメラと比較してみると――。

「最新のデジタルカメラならば顔認識機能がついています。風景の中から顔を探し出して、そこにピントを合わせます。ただ、見ているとは言えない」

顔認識機能とは、顔の形の画像を見つけるという「目的」が機械に組み込まれている。カメラはその「目的」に従っているに過ぎない。二つのデジタルカメラで横縞と縦縞を撮影すれば、ただ二つの図形が画像データとして記録されるだけである。

「人間には（両眼視野闘争で）視覚入力があるにもかかわらず、クオリアが発生していない状態、つまり見えていない状態がある」

乱暴な表現になるが、我々の脳は両眼からの視覚入力を自動的に選別して、「見ている」

のだ。

　では、デジタルカメラよりも複雑で脳と同様の電気回路を作れば、「感覚意識体験」は獲得できるのか。

「獲得できないほうが不思議だと多くの脳科学者は考えています。あらゆる科学の土台部分には、ある種の〝非科学〟が存在します。そうとしか説明できない自然則です。万有引力の法則、光速度不変の原理などと同じように、脳のような電子回路を作れば、そこには自ずと意識の自然則が働き、意識、主観が発生するはずなんです。ただ、従来科学の枠内では、意識というものを解き明かすことはできないとぼくは考えています」

　クオリアを獲得した機械が製作できれば、『順列都市』のようにヒトは永遠の命を得ることができる。機械をアップグレードすることで、ヒトの能力を拡張させることも可能となる。

「ヒトの脳は一〇〇〇億ほどのニューロンでできています。ディープラーニングが進めば、いつかシンギュラリティが起こると言われていますよね。一〇年後ぐらいに計算能力としてはヒトの脳を超えてしまうという見通しもあります」

シンギュラリティとはAI（人工知能）などの技術がヒトの能力を超える時点を意味する。「ただ、そこにはひねりがあるんです」と、渡辺は留保をつける。

脳と同等の機械の作製という壁である。

「生きている脳のニューロンを読み込むには、非常に特殊な顕微鏡を使わなくてはならない。一個当たり少なく見積もっても秒オーダーの時間がかかります。しかも、その特殊な顕微鏡で見ることができるのは、脳の表層から一ミリ程度。その奥は見えない。まず不可能です」

完全に読み込むには、特殊な染色法を施した死後の脳を使用するしかない。

「死んだ脳からシナプス結合を読み取ることはできます。ただ、すでに触れたようにヒトの脳には一〇〇〇億のニューロンがあり、その一つずつに二〇〇〇〜三〇〇〇個のニューロンが結合している。それだけの結合を必要な精度で読み取るというのは事実上不可能です」

だからこそ、ぼくは脳を完全にコピーすることは諦めているんですと、渡辺は言う。

マウス、サル、そしてヒト

渡辺が一つのヒントにしているのは「アナリシス・バイ・シンセシス」（創成による解析）である。

「人工物を作りながら、その仕組みを明らかにしていくという、ちょっと欲張りな手法です。例えば、人類の空への挑戦は鳥が羽ばたく様子を真似ることから始まりました。ご存じのようにその試みはことごとく失敗に終わった。その次に、らせん型ローターを持つ足こぎ型のヘリコプターが作られました。鳥の羽ばたきによって生じる空気の流れをお手本としたのです。このデザインは鳥とは大きくかけ離れたものになりました。しかし人間の筋力では宙に浮くことはできませんでした」

そして鷹《たか》などの大型の鳥類が、羽ばたかずに空を飛ぶ姿に目が向けられた。鳥を真似た固定翼のグライダーが開発され、ライト兄弟の動力飛行へと繋がった。

科学実験が自然から引き算で本質を抽出するとするならば、アナリシス・バイ・シンセシスは、足し算で本質を見つける手法とも言える。

「理学と工学の違いと似ています。理学はあくまでも自然から学んでいく。工学というのは、レオナルド・ダ・ヴィンチが足こぎ型ヘリコプターを製作したように様々なスケッチをもとに試行錯誤を重ねていく」

渡辺が脳の意識を解明するための手法はこのアナリシス・バイ・シンセシスそのものである。

「現在進行中のコネクトームプロジェクトの延長線上で、ヒト脳を走査型電子顕微鏡でつぶさに観察することによって、ニューロンの繋がりを掴む。一〇〇〇億のニューロンがある中で、一つのニューロンに繋がっているのは二〇〇〇〜三〇〇〇個ぐらい。繋がりの大まかな度合い、どれとどれが繋がっているのかというのを、コンピュータ上で再現するスパイキングニューラルネットワークの初期状態とする。そこから学習させることで、シナプス結合の値をチューニングしていく」

いわばコンピュータ上で簡略版の脳を再現するのだ。

「生まれたばかりの赤ちゃんは見えていないんです。眼が開いている、開いていないではなくて、脳が準備できていないから見えていない。そこからお母さんやお父さんの顔などの視覚体験を積み重ねて、見えるようになる。コンピュータにも同じこと、視覚であるならば例えば、YouTubeなどの動画を見せて、学習させる。正しい視覚体験があれば、見るための神経情報処理とともに、その感覚意識体験が備わってくるのではないかと考えています」

そしてこの人工脳を動物に接続するのだ。

この実験の根底には、オーストラリアの哲学者、デイヴィッド・チャーマーズが提唱した「フェーディング・クオリア」という思考実験も関わっている。

ニューロンを一つずつ、人工ニューロンに置き換えていく。この人工ニューロンが生体のものと同等の機能を持っていれば、他のニューロンは置き換えの影響を受けない。チャーマーズは全てが人工ニューロンに置き換わっても、意識を持つはずだと結論づけている。生体ニューロンの全ての機構を再現しなくとも、他に変化が及ばなければ意識は維持されるというのが、この考えの面白さである。

最初はマウスの脳を、成功した場合には、サルの脳を使用する。

「マウスで十分なデータを集めた段階でサルに行く。サルならば脳も大きいし、複雑な視覚刺激に対して、報告能力も高い。相当精巧な実験ができる。そして最後はヒトに行かなければならない」

生体の脳と機械の脳

渡辺は一息置いて、こう続ける。

「もう自分の脳に繋いで、本当に見えている感覚が生じているかどうか確かめるしかないですね」

といたずらっぽく笑った。

彼の想定している実験とはこうだ。

右脳と左脳を繋いでいる神経繊維束をメスで切り離す。てんかんの患者に施す脳梁切断手術である。その上で東京大学から特許を出願した特殊なブレインマシンインターフェース（BMI）を切断した神経繊維束に挟み込むことで、左脳を右脳を再現した機械に、右脳に左脳を再現した機械へと〝たすき〟で繋ぐ。

「生体の左脳と機械の右脳を、あるいは生体の右脳と機械の左脳を繋いで意識が一体化すれば、もう一息です。そのことを利用することにより記憶が生体から機械の脳へと移せるはずなんです。ここで不謹慎ですけれど、ぼくが脳卒中を起こして右脳が死んでしまったとします。それでも、私の意識は問題なく左脳で続いていきます。同様にして、生体右脳と機械左脳が接続され、意識が一体化し、記憶が転送された状態で私の右脳が最期の時を迎えても、私は機械左脳の中で生き続けることになります」

理論的には、生体脳の死後、たすき状にそれぞれ生体脳半球と繋がっていた機械の右脳と左脳を繋げば、渡辺の意識はデジタル化されて、永遠となる——。

「とはいえ、健常者の右脳と左脳を分断するというのは、相当に侵襲的な施術になります」

この場合の侵襲とは、頭蓋骨を開けて、脳に直接電極を挿入することを意味する。現代のBMIの医療応用では、なるべく侵襲の度合いを下げる、低侵襲の方向に向かっている。渡辺の計画は真っ向からそれに抗《あらが》うことである。

「ぼくが余命宣告を受けて、どちらにせよ死ぬというときに、駄目元でやってくださいという実験です」

この実験が可能となる機械はいつ頃、完成するのか。

「まあ、二〇年はかかるでしょう。でもできることならば一〇年ぐらいでやりたい」

渡辺は五〇歳を超えたばかりである。一〇年後ならば六〇歳になる。「ぼくが余命宣告を受けるような状態じゃなかったら、誰かお先に試されたい方がいたらどうぞ、どうぞって感じになりますね」と笑った。

意識の移植は人類の夢ではあるが、まだ越えなければならない壁が立ちふさがっている。そして壁の向こうの道は、明るいか暗いか、見通すこともできないのだ。

三井物産ウェルネス事業本部戦略企画室

木下美香

インプランタブルデバイス医療の今

きのした みか　シニアコンサルタント。一九七六年、三重県生まれ。名古屋大学大学院生命農学研究科博士課程修了。二〇〇四年、国内製薬企業の医薬研究本部へ入社、研究に従事。一七年、三井物産戦略研究所入社、ヘルスケアとマテリアル分野における世界の市場、技術動向の調査・リポート執筆に従事。二一年、三井物産ウェルネス事業本部に出向。事業コンサルティングおよび案件推進に貢献。

人類は様々なデバイスを開発し、その暮らしを豊かなものにしてきた。やがて手に持って操作するものだけでなく、身につけて使用するものが登場し、現在では体内に埋め込むものまで開発が進められている。はたして、インプランタブルデバイスは医療の世界をどのように変えていくのだろう。

医療分野における体に埋め込むタイプのインプランタブル（埋め込み型）デバイスは、身体への負担も大きいことから、それなしには解決不能な症状緩和や治療に用いられてきた。たとえば、パーキンソン病患者の日常生活に支障をきたすほどの震えを抑えるもの、心疾患で命に関わる不整脈や心停止を防ぐためのものなど、用途はきわめて限定的なものだった。そのような中、情報通信技術（ＩＣＴ＝Information and Communication Technology）の進化の流れの中で登場した比較的身体の浅い部位へ埋め込むインプランタブルデバイスは、海外の一部で日常での使用例が見られ始め、医療分野では予防医療分野への用途拡大が始まっている。

一九九〇年以降、情報処理端末は小型・軽量化といった技術開発によって、据え置き型パソコンからノートパソコン、スマホと持ち運び型へと進化してきた。その中で腕時計型・指輪型といった身につけるタイプのウェアラブルデバイスが登場し、日々の活動量や心拍数など各種バイタルデータのモニタリングから、店舗での支払いまで可能になってきている。その利便性に一度慣れてしまうと手放しがたく感じる人は多いのではないだろうか。そのウェアラブルも近年は緑内障などの眼疾患の早期発見を可能にするコンタクトレンズなど、より体への密着度が増す方向へ開発が進み、さらに体内に埋め込むインプランタブルデバイスへと、進化は留まることを知らない。このインプランタブルデバイスは、狭義には体内に埋め込むタイプのチップや機器を指し、広義には飲み込むタイプのものが含まれる。

体内埋め込み型と飲み込み型

海外でのインプランタブルの日常使いの例では、二〇一七年八月に米国のスリー・スクエア・マーケット社がスウェーデンのバイオハック社と提携し、希望する社員に個人情報を登録したマイクロチップの皮下への埋め込みを米国企業として初めて実施している。当時一九二人のうち、九二人が埋め込み、後に取り出した人は一人といわれている。

バイオハック社は、二〇一三年にユアン・ウステルンド氏が設立したスウェーデンの生体認証センサー専門企業で、体内埋め込み型のマイクロチップを発売して以来、上述の米国をはじめ、ドイツ、スウェーデンでインプラントを実施している。このマイクロチップは、充電が不要な近距離無線通信を利用した認識技術（ＲＦＩＤ）が使用されており、ＩＣカードなどを持ち歩くことなく、家や車のカギの開閉、オフィスでのドアやプリンター操作などを可能にする。スウェーデンでは、二〇一七年六月に国有鉄道会社ＳＪ ＡＢが体内埋め込み型のマイクロチップを用いた電車チケットシステムを導入しており、鉄道の乗車も可能となっている。

日本では二〇一九年七月にメディホーム社がバイオハック社と提携し、日本での活用を検討予定としている（現在、日本で個人向けにインプラントは実施していない）。

飲み込むタイプのものには、デジタルメディスンがある。製品実用化の一番乗りを果たしたものとして「エビリファイ マイサイト（Abilify MyCite）」があげられる。この製品は大塚製薬が米国のベンチャー企業プロテウス社と共同開発し、二〇一七年に米国食品医薬品局（FDA）の承認を受けている。

「エビリファイ マイサイト」は、抗精神病薬であるエビリファイ錠剤に一ミリメートル四方の砂粒ほどのチップが埋め込まれており、そのチップが胃液に反応して微弱なシグナルを発出、このシグナルを患者腹部に貼ったセンサー付きパッチが捉え、スマホアプリに服薬が記録される仕組みとなっている。精神疾患の患者は、病気の症状により服薬の記憶・管理が難しいため、このようなデジタルメディスンを活用した服薬管理により薬のポテンシャルを最大限発揮させることが期待されている。二〇二〇年六月にプロテウス社の経営破綻が報道されており、その進展には陰りも見られるものの、普及に向けた取り組みは引き続き注目される。

新型コロナウイルスでいっそう高まった重要性

予防医療の領域において、インプランタブルデバイスの活用の兆しが見られるのは、心不全を対象としたものとなる。心不全の治療薬は豊富にあり、ガイドラインが確立されているにもかかわらず、入院率が高く予後が不良であることに加え、今後、高齢化に伴い心疾患患者の増加が予測されていることなどがインプランタブルの開発の背景にあると思われる。

一部の心不全は、発症する前に前兆として、肺血管の収縮・血管内壁の肥厚・血栓形成などによって心臓の血液を押し出す圧力（肺動脈圧）が高まることがわかっている。この肺動脈圧をインプランタブルデバイスでモニタリングし、兆候が見られた際に予防的治療を行い、心不全を未然に防ぐことを目指すものである。このインプランタブル「Cordella™ Pulmonary Artery Pressure Sensor System（Cordella Sensor）」は米エンドトロニクス社が開発した。開発段階で、Cordella Sensor による包括的な疾患管理によって入院の可能性が四八パーセント低下[*1]、肺動脈の血行動態モニタリングによる治療によって入院が三七パーセント減少[*2]、死亡率が五七パーセント減少することを示し[*3]、二〇一九年八月に治験開始のための条件付き承認を米FDAから取得、同年一一月には、九〇日間の治験においてインプランタブルデバイスの高い安全性と測定の精度、遠隔による肺動脈圧のモニタリングによって九八パーセントの患者が指示どおりに測定を実施できたことを米国心臓協会の学会で発表している。

二〇二〇年はＣＯＶＩＤ－19の感染が拡大し、心血管疾患の病歴をもつ患者のＣＯＶＩＤ－19による死亡率は基礎疾患をもたない患者と比べ四倍高いことが判明した[*4]。したがってＣＯＶＩＤ－19の感染リスクを抑えるためにもインプランタブルデバイスを活用した心不全患者の在宅ケアの重要性は、さらに高まることとなった。同年二月には、米タフツ医療センターを含む三八施設で、前述のインプランタブルデバイス「Cordella Sensor」を活用した在宅ケアの最適化を目指し、九七〇人の患者を対象とした治験（PROACTIVE-HF試験）が開始され、欧州でも治験（SIRONA Ⅱ 試験）が行われている。これらの臨床試験では、このインプランタブルを介して肺動脈圧データを五分未満で収集すると同時に遠隔でケアプロバイダーと共有され、長期にわたる包括的な医療データとの照合による予防的早期介入の検証が行われている。

米国で実施されている臨床試験は、二〇一九年一〇月、メディケア・メディケイドサービスセンター（米保健・福祉省の公的保険制度運営組織）からもカテゴリBの治験医療機器に対する一部規則の適用免除（ＩＤＥ）の承認を受け、治験中の費用が公的医療費でカバーされている。インプランタブルデバイスは予防医療分野への社会実装に向けて着実にその歩みを進めている。

まるでSFのような技術

このようなインプランタブルデバイスの進化を推進する技術として、1．全固体電池、2．生体発電、3．分子ロボットがある。

一つ目の技術である全固体電池は、リチウムイオン電池の電極間でリチウムイオンの移動を促す電解質を固体にした電池である。固体にしたことで、構造の薄型化、層を重ねることによる大容量化、耐久性の向上、高速充放電が可能となった。これまで医療用のインプランタブルデバイスは数年単位で手術による交換を必要としており、患者の負担が少なくない。そのためより交換回数が少なくて済むように医療用インプランタブルデバイスでは電源の長寿命化やワイヤレス充電の技術開発による改良が進められてきており、英イリカ社の全固体電池は一日一回の充放電で最大一〇年間の寿命を実現している。

二つ目の生体発電は、自然放電を抑えた電池技術をベースに、心臓の拍動や呼吸といった動きから発電し、駆動エネルギーを確保する技術で電源フリーなインプランタブルデバイスの実現を後押しする。英イリカ社はすでに自然放電が抑えられた全固体電池を開発しており、この電池を生体発電可能な電池へ発展させていく方針だ。

英イリカ社以外では基礎的な研究となるが、米ニューメキシコ州立大学が心臓の拍動から駆動エネルギーを確保する低周波圧電エネルギーハーベスターを、米マサチューセッツ工科大学は、体の奥深くに埋め込んだバッテリーフリーの極小デバイスにワイヤレスで電力を供給、通信できる新しいテクノロジー「In-Vivo Networking（IVN）」をそれぞれ開発している。ブタを用いた動物実験においてIVNシステムは、体表から一〇センチメートルの深さに埋め込んだデバイスに一メートル離れた距離から電力を供給できることが確認されている。

米国調査会社フロスト&サリバンは、生体発電技術の社会実装は二〇二一年以降、医療用インプランタブルデバイスなどを含む低電力電子機器で幅広い活用が進むと予測している。[*5]

三つ目の分子ロボットは、DNAやたんぱく質などの生体分子や人工高分子などから成る超小型（サイズ：マイクロメートル〜ナノメートル）ロボットである。動力源となる「駆動系」、指令を出す「知能・制御系」、実行オン・オフを切り替える「センサー」から成り、細胞のように生体分子に反応して自律的に動作するため電源が不要となる。

また、分子ロボットは、分子そのものの性質、たとえば雪の結晶の成長、心臓の拍動、生物の体表模様のパターン形成などと同等の性質を活用して設計され、分子の自己組織化によって構築される。自然界に存在する分子レベルの精度を再現することができれば、生体内で自律的な診断・治療や人工細胞膜構築などへの応用が可能になると考えられている。

北海道大学大学院理学研究院の角五《かくご》彰准教授は、生体内での自律的動作が可能な世界最小の分子ロボットを作ることに成功し、二〇一八年にその研究結果を発表している。[*6・7] この分子ロボットの「駆動系」は、体内で物質を運ぶ働きをもつモーターたんぱく質である「キネシン」と、キネシンの足場となる「微小管」というたんぱく質で構成され、「知能・制御系」にはDNAを、「センサー」には光を当てると構造が変わる分子が組み込まれたDNAを使用している。

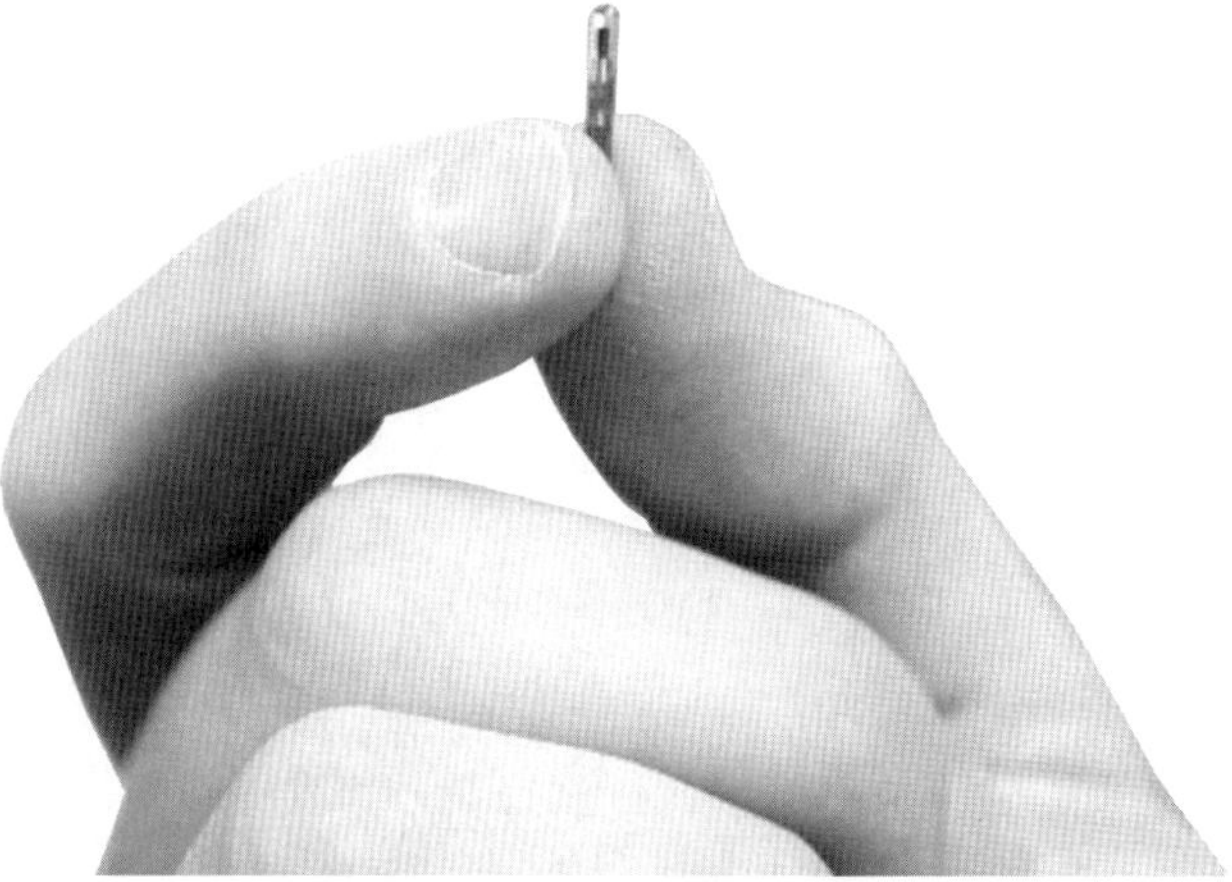

米国のスリー・スクエア・マーケット社が従業員の手に埋め込んだマイクロチップ。2017年8月、ウィスコンシン州リバーフォールズにて。
©Newscom/アフロ

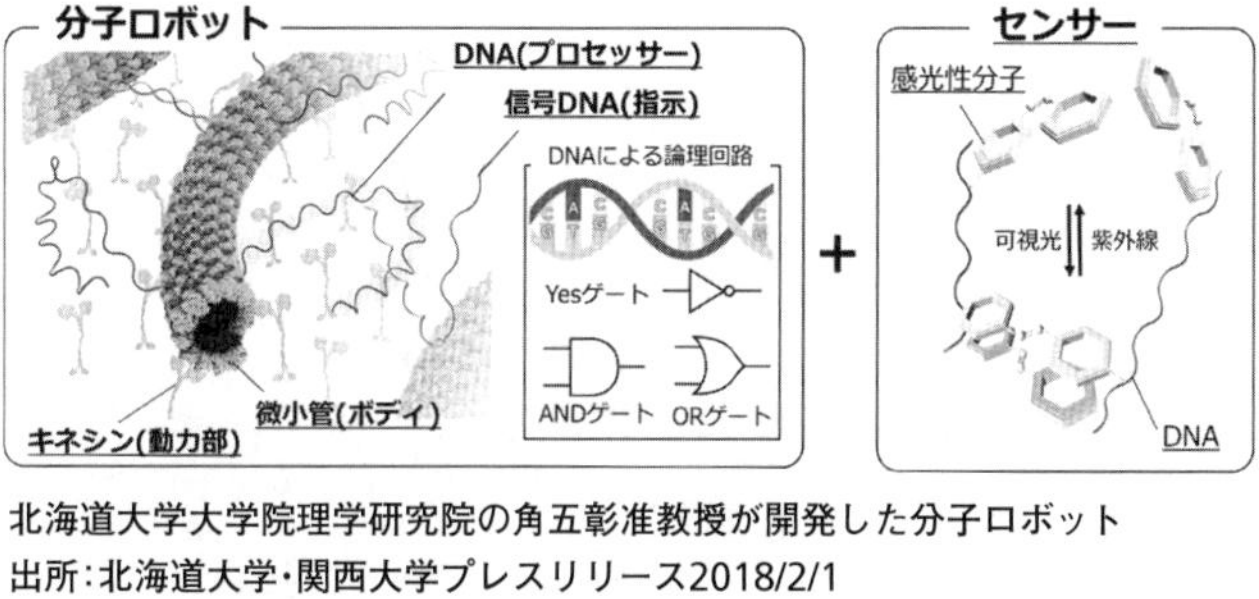

北海道大学大学院理学研究院の角五彰准教授が開発した分子ロボット
出所:北海道大学・関西大学プレスリリース2018/2/1
参考資料:科学技術の最新情報を提供する総合WEBサイト
https://scienceportal.jst.go.jp/gateway/clip/20191007_01/

この分子ロボットの「駆動系」は、生体内のATP（Adenosine TriPhosphate、アデノシン三リン酸）をエネルギー源とするため電源が不要となる。DNAは、アデニン、グアニン、シトシン、チミンという四種類の塩基から成る一本鎖を形成し、それぞれの塩基はペアとなる塩基と結合して二本一セットの構造をとる。そのため、構造がほどけて一本ずつになったとき、一本鎖DNAは自分とペアとなる分子（塩基）を認識することができ、その認識力を利用することでモーターたんぱく質を制御している。他にも、同年、がん細胞だけに薬剤を運ぶ、小さくたたまれたDNAナノロボットの研究も報告[*8]されており、様々な研究開発が行われている。こういった分子ロボットの開発が進むことで、病気の検査や治療が大きく変わる可能性がある。体内に分子ロボットを住まわせ、分子ロボットが体内パトロールを実施し、異変が見つかり次第、薬を携えて患部に急行して治療を施すなど、大事に至る前に分子ロボットが治療を済ませてくれる、まるでSFの世界で描かれていた世界が実現するかもしれない（図2）。

文部科学省科学技術・学術政策研究所による科学技術予測調査／デルファイ調査では「マイクロ・ナノマシンや生体分子等の配置や運動を自在に制御・計測する光技術」の技

術的・社会的実現時期は二〇三〇～三三年と予測されており、より現実味を感じさせる。

安全性はどうなのか？

インプランタブルデバイスが社会実装されていく中で課題となるのは、個人情報保護・サイバーセキュリティと人体への安全性である。

米ＦＤＡは二〇一七年以降、インプランタブルデバイスのサイバーセキュリティ上の脆弱性に関して審査を実施しており、欧州では二〇二一年五月から医療機器規則の適用が開始されている。これらの審査や規制が強化されれば、医療機器メーカーは、機器へのサイバーセキュリティ対策として不正アクセスを防ぐためのソフトウェア、ファームウェアの更新版を開発する必要に迫られ、インプランタブルデバイスの普及に少なからず影響を与えると思われる。

本稿の冒頭で述べた、埋め込み型マイクロチップの主流となっているＲＦＩＤチップの安全性に関して、米ＦＤＡは二〇〇五年「皮下に入れても安全である」と公式に発表している。治療・予防向けのインプランタブルデバイスは臨床試験で高い安全性を示すことが必須となっている。

世界的な高齢化に伴う生活習慣病・認知症・がん患者数の急増とそれに伴う医療費・ケアコストの増大が予測される中、治療から予防へニーズがシフトしつつあり、三井物産も従来の治療周辺の貢献だけでなく、病気になる以前の予防と健康のさらなる増進に貢献するべく、より幅の広いウェルネス領域を新たな事業領域としてとらえなおし、豊かな未来の創出を目指している。世界的高齢化といった外部環境の変化から、治療から予防、医療においてはあらたに予測医療が誕生、進化していく過程で、スマートウォッチなどのウェアラブルからは得ることができない、疾患予測のための特異的かつ精度の高いバイタルデータを取得することができるインプランタブルデバイスは不可欠なものとなっていくのかもしれない。

今後、インプランタブルデバイスの進化と社会実装がどのように進むかは、体に埋め込むという抵抗感と利便性・必要性とのバランスと、人々の価値観の変化によるところが大きいと思われ、それらの変化が要注目となる。

＊1　Anderson WL et al. Minnesota Managed Care Longitudinal Data Analysis. U.S. Department of Health and Human Services. March 30, 2016.
＊2　Abraham WT et al. Wireless pulmonary artery haemodynamic monitoring in chronic heart failure: a randomised controlled trial. Lancet. 2011 Feb 19;377 (9766) :658-66.
＊3　Abraham, WT et al. Pulmonary Artery Pressure-Guided Management in heart failure patients with reduced ejection fraction significantly reduces heart failure hospitalizations and mortality above and beyond background guideline-directed medical therapy. Abstract 902-04, ACC 2015.
＊4　Gu T, et al. History of coronary heart disease increased the mortality rate of patients with COVID-19: a nested case-control study. BMJ Open. 2020 Sep 17;10 (9) :e038976.
＊5　TechVision Group of Frost & Sullivan, TechVision Analysis / D7FA / 00, Technology Impact Assessment of Micro Energy Harvesting. 2018-05-31
＊6　Keya JJ et al. DNA-assisted swarm control in a biomolecular motor system. Nature Communications. 31 January 2018;9 (1) :453 (2018)

＊7　科学技術振興機構「サイエンスポータル」
https://scienceportal.jst.go.jp/gateway/clip/20191007_01/

＊8　Li S et al. A DNA nanorobot functions as a cancer therapeutic in response to a molecular trigger in vivo. Nature Biotechnology 36, 258-264 (2018)

本稿は信頼できると思われる情報ソースから入手した情報・データに基づき作成していますが、三井物産グループはその正確性、完全性、信頼性等を保証するものではありません。

また、本稿は執筆者の見解に基づき作成されたものであり、三井物産グループの統一的な見解を示すものではありません。

粕谷昌宏

MELTIN代表取締役

サイボーグ技術は人の可能性を拡張する

かすや まさひろ MELTIN代表取締役。一九八八年生まれ。二〇一〇年に早稲田大学理工学部卒業。一一年、日本ロボット学会研究奨励賞を受賞。一二年には、VR空間内の体と現実の体を生体信号により接続しシンクロさせる手法を開発し、電気通信大学大学院に移籍。一六年に電気通信大学大学院情報理工学研究科にてロボット工学と人工知能工学で博士(工学)を取得。一三年七月、MELTINを創業。

人は身体の限界によって活動に制限をかけられていないだろうか？「体が一つじゃたりない」「腕がもう一本あれば」……叶わぬと知りながら、誰もが一度は思ったことがあるに違いない。しかし、現在のテクノロジーは、身体と機械の融合を実現する領域に達した。サイボーグ技術は、人間の潜在的な可能性を拡張することができるのか？

僕がサイボーグ技術を追究しようと決意したのは中学生のときですが、その原体験は幼少期にあります。三歳の頃だったと思いますが、「なんで自分はここにいるんだろう？」「なぜこの世界は存在しているんだろう？」といったことを考えるようになりました。そうした疑問に対して、テレビ番組やSF作品などを通じて「自分たちがいる世界は宇宙の中にある」という感覚はもっていたため、謎を解くには宇宙を解明する必要があると考えるようになったのです。

ところが、同時に宇宙は無限に広がっているという記述も目にしました。無限のものを解明するには無限の時間が必要になるわけで、自分自身の寿命や脳の容量では太刀打ちできそうもない。何らかの手段で自分の思考と身体をアップグレードする必要があると考えるようになりました。それには具体的に人と機械が融合する「サイボーグ技術」が最適であるという結論に至ったのが、中学生の頃でした。もともと機械というのは人が作り出すものなので、人の意図が込められています。なりたいと思う存在になっていくために人と機械が融合することは自然ななりゆきで、そこに可能性を見出したのです。

もちろん、マンガやSFの世界ではサイボーグという概念が根付いていましたが、フィクション作品からサイボーグに注目し、憧れたわけではありません。映画『GHOST IN THE SHELL／攻殻機動隊』（一九九五）を観たときもすでにサイボーグ技術の開発をしようと決めた後でしたが、目の前の現実から地続きの空間でサイボーグ技術が成立していて、僕が実現しようとしている世界観を具現化して描いていることに、とても驚かされたという印象でした。

「三本目の手」を作った意味

人間の身体を拡張する第一の試みが「三本目の手」です。

二本の手だけでは足りない複雑な作業が、身の回りにあると思います。たとえば、基板にハンダ付けをする作業では、左手でハンダを、右手でハンダゴテを持ちますが、基板は机の上に固定するよりも動かせたほうが便利なケースがあります。そういうとき、意のままに動かせる三本目の手があれば、作業は正確かつスムーズに進めることができるはずです。

とはいえ、三本目の手があったとしても、どうやって動かしたらいいのでしょうか。大学時代、僕は「義手」の研究もしていました。事故や病気で手を失ったとしても、失ったはずの手を動かそうとすると、残された筋肉には切断される前と同じように脳から動く指令である電気信号が伝えられます。この電気信号、つまり「筋電」をセンサーで読み取り、機械の手指を動かすタイプの義手が筋電義手です。この技術を使って顔回りの表情筋に流れる筋電を読み取り、三本目の手となるロボットハンドの動きに変換していきます。具体的な操作方法は、口の開閉でロボットハンドの指を開閉し、微妙な表情の違いでロボットハンドを動かします。

なぜそのような方法にしたかというと、両手がふさがっていて、何かもう一つものを持ちたいとき、頭を動かして口でくわえるという選択肢があります。その感覚で、三本目の

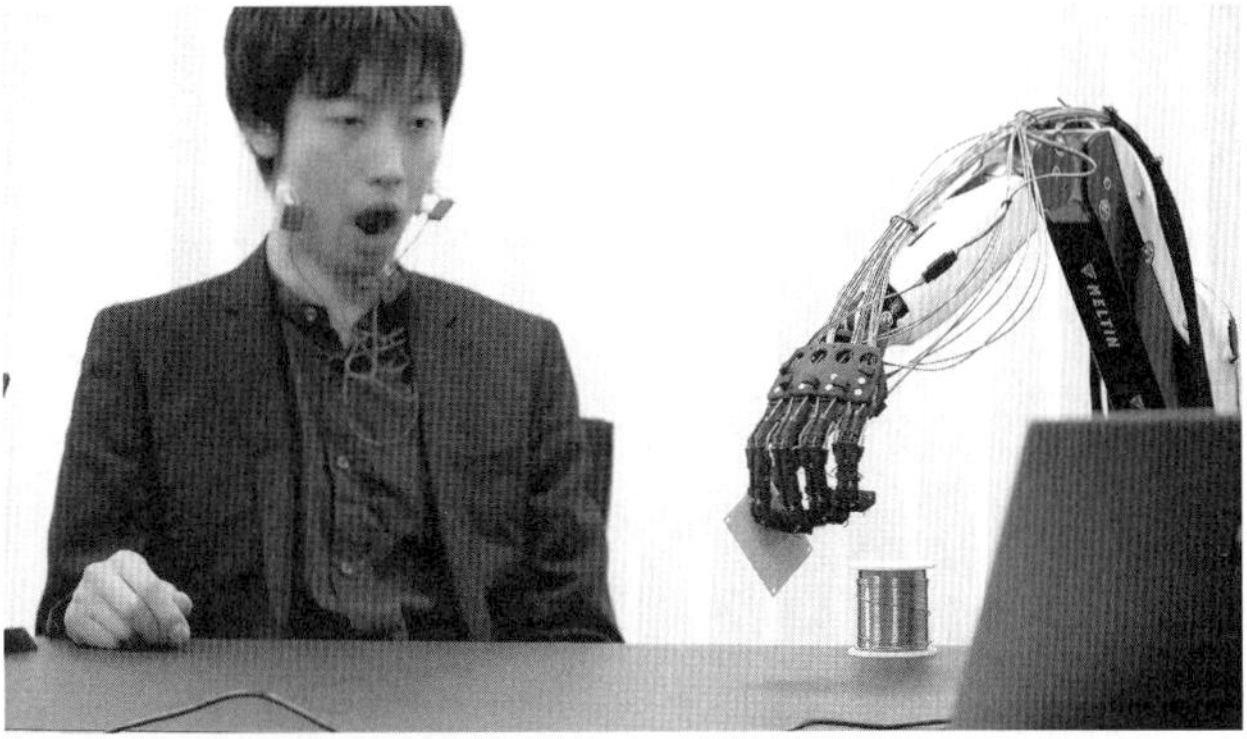

「三本目の手」を操作する粕谷氏　写真提供＝MELTIN

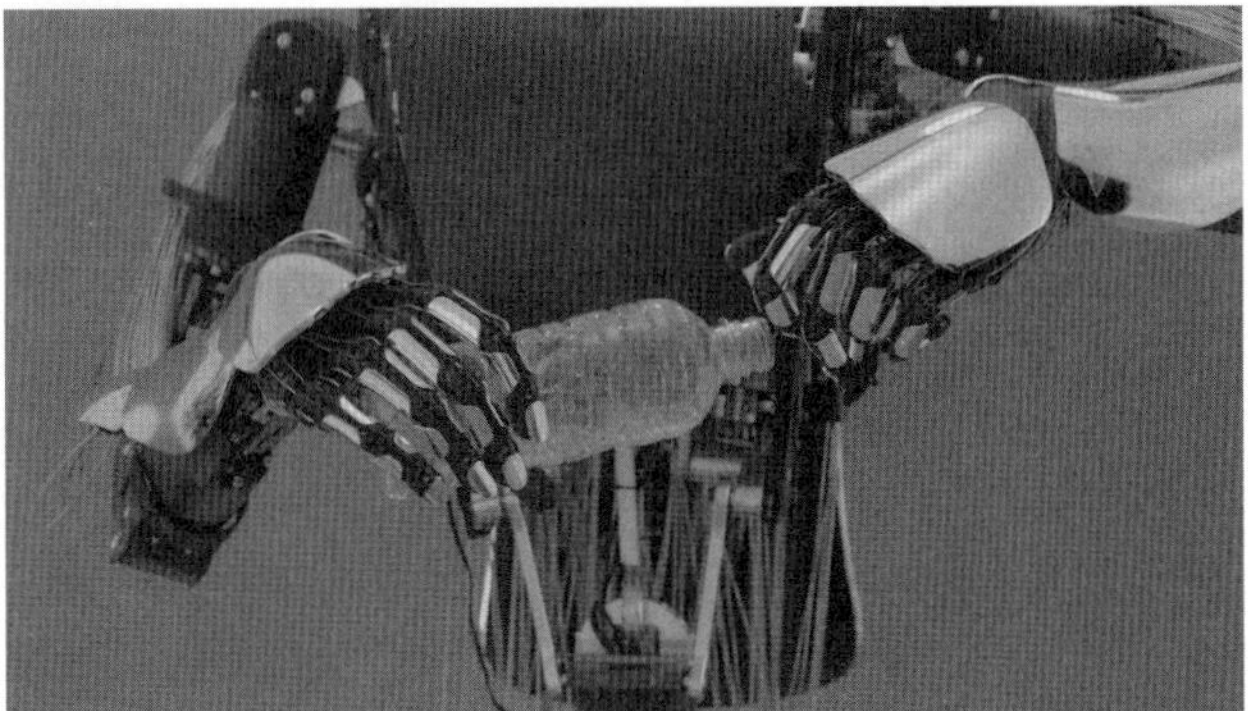

「MELTANT-α」の手。腕の筋肉と腱の構造を模倣し、ワイヤー駆動で力強さとペットボトルのふたを開けるほどの繊細さを実現する。
写真提供＝MELTIN

手で何かをつかんで、こう動かしたいと思うと、その意図が顔回りの微妙な筋電に乗って現れてくるのです。

操作感覚を得るためには、ある程度トレーニングが必要ですが、すぐに自分の身体の一部のように感覚をつかみ、元々は存在しなかった三本目の手を動かせるようになります。さらに言えば、慣れてくれば、口や顔をそれほど動かさずとも、このロボットハンドをコントロールできるようになります。

生体信号のハードル

筋電は、生体信号と呼ばれるものの一種です。生体信号にはいろいろなものがありまして、脳波、神経伝達など、生物として活動していくうえで体内で発生しています。近年では「Apple Watch」のような商品で計測される心拍や血中酸素濃度も生体信号と呼ばれたり、身体の加速度までも対象になったりと、生体信号の定義は年々広がっているように思います。

僕たちは生体信号の処理技術に重点を置いておりまして、中でも人の体内を流れる電気信号にフォーカスしています。今、主に取り組んでいるのが筋電なのですが、その理由には、ノイズの問題が密接に関係しています。大まかに言えば、筋電は電気的な生体信号の中では比較的大きな信号なので、他の生体信号を扱うよりもノイズが少なく、ハードルが低いのです。とはいえ、それは何ミリボルトというオーダーの非常に小さな電気信号です。こうした微弱な信号をピックアップする際には、まずセンサーとしての感度を向上させることによって小さい信号を大きくしていこうというハード面からのアプローチが一つ。ノイズとノイズではない信号の両方が入ってきたとき、ノイズではない信号だけを取り出すようなソフトウェア面からのアプローチが一つ。これらの合わせ技で、微弱な筋電から人の意図を抽出するようにしています。

意図や意思を機械に伝えるのであれば、筋電よりも脳波のほうがよりダイレクトではないかと思われる方も多いと思います。しかし、仮に脳波を活用するとして、その信号をどう取り出すのかは非常に大きな問題です。たしかに、何億とある脳細胞の一つ一つは、わずかながら電流を発していますが、かといって脳に何億本もの針型電極を刺すわけにはいきません。「非侵襲《ひしんしゅう》」的に計測する方法では、たとえば頭皮上に電極を貼り付けて、頭蓋骨を通って減衰しながら漏れ出てきた、さらに弱まった電気信号を測るといったものもあります。この場合はかなり微弱な信号になってしまい、周囲の電子機器などからも影響を受けてしまうほど小さな信号になるので、そうした背景から、今のところは筋電を利用しているわけです。

とはいえ、これまで筋電を活用してさまざまな動作を識別できるようなシステムは、数十個の電極を身体に貼り付けたうえ、筋電を解析するのに何十秒、あるいは何分という時間がかかり、そのうえでようやく筋電義手やロボットハンドを動かす準備が整うというレベルでした。対して、僕たちが開発したソフトウェアは、数個の電極で済むうえ、生体信号の解析も独自のアルゴリズムを開発し、瞬時と言ってもさしつかえないほどの動作を可能にしています。

この技術はさまざまに応用が効くだろうと考えています。たとえば、アメリカのインテュイティブサージカル社が開発した内視鏡手術支援ロボット「ダヴィンチ」は、すでに日本だけでも数百台が導入されているといわれており、多くの手術に活用されています。鉗《かん》子《し》やカメラを遠隔操作して、人間では不可能な手術さえ行えるようになっています。ここに三本目の手を導入できれば、これまではできなかったような手術が行えるようになるかもしれません。

「分身」は何をもたらすのか

複雑で繊細な動作が要求される「手」を機械で作り、それを人とつなげられるようになれば、次のフェーズへの可能性も飛躍します。

その一つが「アバター」と呼ばれる遠隔操作ロボットで、別の場所で自分と同じ動作をしてくれる、いわば自分の「分身」といった存在です。もちろん、ロボットが見ている映像や聞いている音、触覚センサーを通じて伝わってくる感触は自分にフィードバックされるので、あたかも別の場所にいるロボットと自分がリンクしたかのごとき情況を作り出せます。

二〇一八年に開発したコンセプトモデル「MELTANT-α（メルタント・アルファ）」は、人の手と同等のサイズで、片手で最大二キロの重さのものを持ち上げられるほど力強く、かつペットボトルのキャップを開け閉めできるほど繊細に動く機械の手を備えたアバターです。二〇二〇年には次世代実証実験用モデルとしてMELTANT-αと比べさらに機能を向上させた「MELTANT-β（メルタント・ベータ）」を開発し、さまざまな危険な作業を行う実証実験を進めています。この二つのアバターは、人間では踏み込めない過酷な環境でも遠隔操作により自分の身体と同じ感覚で動かし、作業できるように開発しています。現在、東京電力HDなどと共同で、福島第一原子力発電所の廃炉・汚染水対策の推進に貢献することを目指しています。

アバターロボットが秘める価値

当初のアバターの開発目標は、人の知性と経験を極限環境での行動にダイレクトに反映することにありました。今のところ、人間が太陽に降り立って調査することは不可能ですし、全身を機械で覆うようなサイボーグになったとしても、たちまち消滅してしまうでしょう。しかし、アバターであれば、消滅するまでの時間に、優秀な研究者の身代わりになって何かしらの新発見を探し当てることができるかもしれません。

ただ、自分の身体を変えてしまうことに、違和感を抱く人も少なくないかもしれません。

しかし、まず訴えたいのは、アバターであろうとサイボーグであろうと、使いたい人が使うべきものだということです。拒否したい人が拒否できる自由は必ず確保されなければなりません。

そのうえで僕が考える幸福は、自分の中の創造性を存分に発揮している状態にあります。生身の人間であるからこその制約が、サイボーグ技術で解消され、誰もが創造性を発揮できるようになれば、現在の感覚では想像すらできない幸福感に到達するはずだと僕は期待しています。

ただし、そうした目標へ到達するためには、まだ技術の蓄積が必要になります。僕たちが設定しているロードマップでは、二〇三〇年までにはアバターを、二〇四〇年までには生体信号技術を、より広く実用化できるレベルで完成させて、その二つを統合したサイボーグを社会に普及させていければいい、というタイムラインを描いています。

その頃には、宇宙開発の分野にもサイボーグ技術が活用されることになると思われますし、「宇宙とは何か」「自分とは何か」という謎に対しても、ダイレクトな一歩を踏み出せるはずだと思っています。

創造性にかけられた制約を取り払う

生体信号の取得は、現在は身体の表面に電極を置くだけで肉体を傷つけない「非侵襲式」ですが、最終的には、先に少し触れたような、電極を脳そのものに直結して生体信号をピックアップする「侵襲式」も視野に入っています。ご存じの通り、脳は非常に脆《もろ》い器官であり、そこに異物である電極を配置することは容易ではありません。

とはいえ、脳から直接信号をピックアップすることのメリットはとても大きいのです。たとえば、右手の前腕にセンサーを付ければ、右手を動かそうとする筋電は解析できますが、その信号から左手を動かすための情報をピックアップすることはできません。しかし、脳は全身に向けて生体信号を発しています。

さらにいえば、脳から直接採った情報を、他者と共有することも理論的には可能で、大きな目標の一つです。たとえば、職人や医師、スポーツ選手などが長年かけて身につけたコツや技術を、他の人がインストールして自分のものにできる可能性さえあるかもしれません。ただ、個人的な意見ではありますが、他者の技術やコツを単純にインストールすることと、創造性は別のものだと考えています。ある職人の方が二〇年かけて習得した技能の裏には、無数の試行錯誤や取捨選択があり、得手不得手や揺らぎがあるはずです。それらを捨象して技能だけが移植されても、真の創造性にはつながらないのではと思います。

ただ、職人の方が二〇年かけて習得した技術を、次の世代に二〇年かけて伝えていくような状態については考えたいところです。たとえば、技能をインストールするというのではなく、「技能取得にまつわる二〇年間の記憶を二時間で追体験できる」というような技術だとしたら、どうでしょうか。そのうえで、疑似経験の数々を個人の判断で取捨選択したり、何か着想があれば、それを反映させて自分のものに改良していったりする。そうすることに創造性の源泉があるのではないかと思っています。

しかし、多様な人の多様な経験をインストールするためには、人の脳では容量不足です。そこで自分の脳に直結する外部装置や、あるいは他者の脳との接続も必要になってくるはずです。三本目の手として用いるロボットハンドも、追加された腕が一本だから動かせただけで、たとえば五本用意して同時に動かすとなると、さすがに一人の脳では不可能に思えます。しかし、脳の機能すらも拡張できるようになれば、そのとき「五本のロボットハンドは動かせない」というリミットさえなくなると思っています。

サイボーグ技術の規格化を進める

また、脳は人間の感情や記憶、思考を司る器官なので、そこに科学技術が入り込み、人が考えていることをダイレクトに解析するとなれば、倫理的な問題について先回りして考えていかなければならないと思っています。

これらの技術を実現するためには、二つのハードルがあります。一つは身体を機械と融合させることや人の意図を読み取ることなどに対する倫理的な正当性の確保、もう一つは技術の占有がもたらす格差拡大をどう防ぐのかという問題です。

これまでの技術革新とは比べものにならないほどの大きなインパクトを社会にもたらす研究をしている以上、倫理面についてもできるだけの努力をすることが責務です。倫理的な線引きは、基本的には社会的な合議でしか決まらないと思いますが、議論の手がかりを提供するためには、技術開発と並行して「規格化」を進めなければなりません。ここでいう「規格」には、人間の多様な機能のうち、どこは拡張してよく、どこは拡張してはいけないのかということまでも含まれています。また、身体の制約から逃れる力をもつことにより、その人の倫理観が変容してしまう可能性も考えておく必要があります。

現在は脳で処理されている情報のすべてを理解する技術が存在しないので、具体的な規格化についてはまだ完全には見えていません。また、今までの新技術でもそうでしたが、規格が制定されるより前に普及が始まってしまうことで生まれる問題もあります。たとえばドローンでもいくつか事件がありましたが、サイボーグ技術に関しても、いざというときには信号を遮断してしまうゲートを必ず設けなければいけないなど、悪用されないための規格を作ることも先回りして考えておかなければいけません。

倫理や規格化の基準については、やはり創造性がキーになると思います。創造性そのものはその人の個性であり、人工的に拡張すべきではなく、あくまでもその人がもっている創造性にかけられた制約だけを取り払うことまでに留めるべきでしょう。僕自身、このことをサイボーグ技術開発の思想の根幹に置いています。

もう一つの課題である格差については、倫理についてのコンセンサスがないまま特定の人物や組織が強大な力をもってしまうことは避けなければなりませんが、サイボーグ技術そのものが格差の解消に働くと考えています。現在の格差は、教育や得られる知識の格差と密接に結びついています。教育を人類が未来に対して行う投資とみなすのであれば、地域や階層で投資の量に差があることと、環境的な要因で投資のリターン率や時間に差がついてしまうことは容易に想像がつきます。

サイボーグ技術は、そうした地域や環境の差を是正できるとも期待しています。投資量もリターン率も向上させられるでしょう。たとえば、先ほどの「二〇年の積み重ねを二時間で経験する」といったことが実現するならば、時間の大幅な短縮はそれに見合うだけ投資コストを低下させ、富をより公平に再分配することにつながるはずです。あるいは、ある国に働き手がたりない企業があり、別の国には仕事がない人たちがいるのであれば、距離の制約を超えられるアバターはこうしたアンバランスを是正できます。

「サイボーグ技術とは何か」と問われれば、「身体や生まれた場所によるしがらみから自己の創造性を解き放つ技術」と答えるのが最も適切かもしれません。すべての人は本来もっている創造性の一部しか発揮できておらず、さまざまな領域でその限界に直面しているのが現実です。しかし、あともう一〇年もすれば、突破口がはっきり見えてくるはずだと確信しています。

構成・文＝柳瀬徹

PART2 人間拡張を考える

荒唐無稽と考えられていた様々なアイデアが実現されている現代。
しかし、技術の進歩は常に議論を巻き起こし続けている。
人間拡張のこれまでを振り返り未来を考える者たちの言葉とは？

富野由悠季

アニメーション映画監督・小説家

人類は「ニュータイプ」になれるのか

とみの よしゆき　アニメーション映画監督、小説家。一九四一年、神奈川県生まれ。日本大学藝術学部映画学科卒業。六四年、虫プロダクション入社。『鉄腕アトム』の脚本・演出を手がけた後、フリーに。以後数多くのTV、劇場用アニメの原作・総監督を務める。また、斧《よき》谷稔《たにみのる》の名義で絵コンテ、井荻麟《いおぎりん》の名義で作詞を手がける。

テクノロジーの進歩と宇宙空間への進出、そこで勃発した戦争の中で獲得される人類の新たな可能性――「ニュータイプ」。『機動戦士ガンダム』で描かれた、この人の革新の概念は、時空を超えた共感能力に留まらず、今なお物議を醸す。「相互理解で争いはなくなるのか？」「技術の拡張に翻弄される未来は？」原作者にして総監督・富野由悠季が渾身のメッセージを放つ。

僕は出来が悪い生徒であったおかげで、勉強のレベルを超えて趣味に没頭し、中学の頃から高校一～二年生ぐらいまでには宇宙旅行のスペシャリストになっていました。ところが、ＳＦで扱われている宇宙旅行論と、月まで行くにはどうするかという足場があったうえでの僕の宇宙旅行論とは、まったく違っていたのです。無重力帯というのはどういうことなのか、上空何キロから宇宙で、音速を超える瞬間の人間と重力との関係はどうなるのかということ、こうした宇宙の概念についての基礎学力が頭にあったことを『機動戦士ガンダム』（一九七九）を始めてつくづく実感しました。

特殊能力の必要性

――「ニュータイプ」の着想はどこから来たのでしょうか?

富野　『機動戦士ガンダム』の企画が立ち上がるときに、それまでのロボットアニメのような身長五〇メートル、あるいは一〇〇メートルといったサイズではなく、たとえば等身大まで小さくするにはどうしたらいいのだろうと考えました。ロボットのスケールが小さくなると、ロボットではなく、それを操る登場人物たちに特別な能力がないと、アニメとして成立しなくなります。

そこで、SFから出てきてすっかり日常語になっていた「エスパー」という概念が必要だと考えました。しかし、エスパーは特殊能力を宿した特定の人間でしかなく、エスパーではない人とは相容れない存在になってしまう。特別な人間に宿った特別な能力としないための方便として、新しいタイプの人類、つまり「ニュータイプ」が同時発生するようなストーリーを考えました。

しかしながら、『機動戦士ガンダム』放映中は、ついに「ニュータイプ」を概念づけることはできませんでした。地球の裏側にいる人の感情まで瞬時にわかるような感度を持た

アニメ制作会社「サンライズ」の会議室にて　撮影＝幸田 森

せたい。だからといって、特定の人物がオカルト的な能力を持ってしまうのではなく、すべての人間がやがて持つことになる能力を先行して持つ、その喜びも苦しみも余さず描きたい、と思ったのです。

では、その力とは何か、それはつまり洞察力なんだというところまでは物語の終盤あたりでたどり着きましたが、それを劇中で表現しきることはできませんでした。一〇〇万人を超える規模の人間が、現在の人類よりも少しだけバージョンアップできたときに、その人たちを「ニュータイプ」と呼ぶにふさわしい、というところまでは規定できたのですが、それを劇中でどう表現したらいいのかがわからず、結局は特殊能力を持った戦闘者という描写になってしまった。政治家のニュータイプや、経済人のニュータイプをどう描けばいいのか、それがわからない悔しさを三〇年以上引きずってきてしまいました。

ただ、この経験から、どんなに優れた戦闘者であっても優れた政治家にはなれない、ということまではわかりました。『機動戦士Z《ゼータ》ガンダム』(一九八五〜八六)や劇場版『機動戦士ガンダム　逆襲のシャア』(一九八八)は、戦闘者から人類を先導する立場になりきれなかったシャア・アズナブルとアムロ・レイの挫折の物語という側面を持っています。

戦闘者、パイロット、技術者といった特性の強すぎる人たちは、僕の考えるような政治家になれるほど、多角的な視点を持ち得ないのだということが、ガンダムシリーズを重ねるうちにはっきりしてきたのです。一つの属性で際立ってしまった人は、組織を調整し、世の中を動かす役割には不適合である。それがわかったのは、シャアとアムロのおかげだといえるのかもしれません。

――科学技術、哲学、政治、経済、軍事……、あらゆる面で現人類を凌駕した洞察力を持つニュータイプのような人の登場は考えられますか？

富野　そういった人を仮に「全能者」と呼ぶならば、一〇〇万人に全能者になってほしいと本気で考えました。でも、全能というのは、お釈迦様とアインシュタインの脳が一緒になって一人の人間に同居している、そういうレベルの話です。

実をいうと、そんな存在も全能とはいえません。なぜか。そうした人物は、人の上に立ってしまうからです。上に立った人間には、日常で生活するセンスがなくなり、自分がはいたパンツを洗濯するようなことをしなくなります。

だから、どうしても全能に比較的近い「賢人」が、そうではない「愚民」に実行を命じることになってしまう。この愚民は、あるときは身分が下層の人間であり、つい最近までは女性でもありました。飯炊きも糞尿の始末も愚民にやらせて、自分たちは科学や哲学、政治に興じていればいい、というのが賢人だったわけです。

生活を免除された賢人たちがそれぞれの専門に特化するうちに、お互いに隣の賢人が何をしているかさえわからなくなってしまったのが今の世界で、まさに「知の愚迷」の成れの果てです。緊急事態宣言を叫んで人々を家に閉じ込めておこうとしてもままならず、経済が冷え切った感染症流行下の都市のど真ん中で、世界中から最も優れた肉体を集めて祭典を行う。これ以上ないほどの愚迷を、どんな知性も止めることができなくなっているのがその証明です。

全能へ向かう者の行く末と愚民の力

――『機動戦士Zガンダム』の主人公であるカミーユ・ビダンを富野監督は「最高の能力者」と評されています。ガンダムシリーズの中でもとりわけ強く屈折した少年が、なぜ「最高の能力者」なのでしょうか？

富野　もちろんカミーユも全能型とはほど遠い人間です。でも、ほんの短い期間ではありましたが、カミーユに全能を目指させようと思ったことがありました。だけど、現代の我々と大きく変わってはいない近未来の人物に、全能を目指すだけのキャパシティはありません。結果として、カミーユの精神は崩壊しました。

カミーユ自身の意思で全能者を目指したわけではありません。少なくとも、そのような描写を劇中ではしていないはずです。ただ、明らかに戦闘者としての能力が傑出していたために、本人の人間的な限界を超えたものを負わされ続けて、人間としての成長過程も、意思を強靭にするための時間的な猶予も与えられず、全能者への道以外の選択肢が閉ざされていきます。

同じニュータイプでも、アムロ・レイについて考えたことと、カミーユ・ビダンについて考えたことは、まったく別なのです。アムロについては、戦闘者として成長しすぎてしまったことのよしあしはともかく、人間としても成長する機会がありましたが、カミーユにはそれさえ許されていなかった。

では、何が足りないのか。我々愚民どもが毎日飽きずにやっていることを続ける力です。

自然の不条理の下で田畑を耕し、獲《と》れもしない魚を追いかけ、なんとか食いつなぐための忍耐を毎日続ける、その実行力です。

　これだけ科学が進歩しても、人間は天変地異の前ではあまりにも無力で、積み重ねたものが一瞬で跡形もなくなってしまいます。それでも死ぬまで同じことを繰り返していられるのは、ほかに何もできない愚民だからです。愚民の力は、全能者へと向かう道程でこぼれ落ちてしまう。全能者を目指すためには、全能であることを捨てなければならないという矛盾があり、カミーユはそれに直面してしまった。

　それは、誰よりもニュータイプになりたい僕自身の敗北でもありました。その敗北は、今でも認めたくない。でも認めざるをえないのです。

——文明批評家のマーシャル・マクルーハンは著書『人間拡張の原理』（一九六四）で、「トンカチは腕の拡張、望遠鏡は眼の拡張」と「身体の拡張」を定義しています。身体の拡張は神経系にも影響を与え、感覚が鋭敏もしくは鈍麻《どんま》し、鋭敏になった全神経がネットワーク化されるともいっています。高度な武器に習熟する過程で、戦闘能力の向上だけでなく、敵とも交感する能力を持つようになったニュータイプは、マクルーハンのいう「拡張」された人間なのでしょうか？

富野　僕は一九六七年に虫プロダクションを退社して、二～三年間テレビCM制作の仕事をしていた時期があるのですが、その頃広告の世界でもてはやされていたのがマクルーハンでした。自分には馴染まないと思っている業界で、大嫌いな連中が「メディアはメッセージ」だと、マクルーハンの受け売りをするのが無性に癪《しゃく》に障《さわ》りました。イメージだけでモノを売るという手法への嫌悪と、マクルーハンへの印象が一緒くたになってしまっています。

ふと思い出したことがあります。中学生の頃に読んで、許しがたいと思った文章のことです。父が『リーダーズ・ダイジェスト』の日本語版を定期購読していて、僕は読者相談のページが好きでよく読んでいたのです。あるとき、「ジャガイモの皮剝き器がジャガイモに紛れて、すぐに見失ってしまいます。どうすればいいのでしょうか？」といった相談があり、回答は「ジャガイモとまったく違う色のものにすればいい」というものでした。ですが、それに続けて「皮剝き器なんて、なくなったら買い直せばいいでしょう。なぜそんな質問をするのですか？」と書かれていたのです。

そうか、と思いました。日本を負かしたアメリカが戦後に経済拡大をしていく、その根幹にこんな粗雑な感覚があるのか、と。大量生産、大量消費、オートメーション化で経済圏を拡大し、儲かるやつだけが儲かる社会を、敗戦国や途上国に拡大しようとしていることがはっきりと見て取れました。地球が有限であることはすでにわかっていたはずなのに、こんな矛盾した考えを押しつけられたら、たまったものではないと思ったのです。

日本には、三〇〇年、四〇〇年と続いている個人商店がたくさんあります。しっかりしたものを作り続けると、それほど長く続けられるのだという、日本の商人道のようなことを聞きかじった時期でもあったので、日本の風土を考えたとき、マクルーハン的にメディアに乗っかってやるという思考の賢《さか》しさが本当に嫌でした。

だから、そうした思考の推進力になったマクルーハンの存在は、徹底的に嫌悪しています。だいたい、道具が身体の拡張だなど、それまでの人々が一生かかっても移動できないほどの距離を、鉄道や飛行機に乗れば短時間で移動できるようになった時点で、誰でもわかっていたことでしょう。広告業界の言葉遣いを理論っぽくしただけの、洒落臭《しゃらくさ》い話なのです。

現実がSFに追いつく時代

——劇中には「サイコミュシステム」など、ニュータイプが思念や脳波で操作する兵器が登場しますが、現実にも脳波でロボットやドローンを操作する技術が実現しつつあります。これらは人間にどのような変容をもたらすとお考えですか？

富野　ガンダムシリーズは未来における戦記物ですが、実をいうと第二次大戦前までの構図の戦争でしかありません。たとえば、二〇二〇年に勃発したアルメニアとアゼルバイジャンの紛争では、アゼルバイジャン軍がトルコ製のドローン攻撃機を大量に投入し、レーダー誘導弾やイスラエル製の特攻ドローンで二七〇〇人以上もの犠牲者を出しました。ほんの二〇〜三〇機のドローンで、車輛を四〇〇両以上も殲滅《せんめつ》してしまったというのです。塹壕《ざんごう》に逃げ込んだ人々も、ドローンがそこまで侵入してくるので逃げることができない。これで一つの戦争が終結してしまいました。

僕は二〇年ほど前に「ガンダムとは手を切った」と言ったのですが、それはモビルスーツや戦闘機にパイロットが乗り込んで戦うという構図が成立しなくなったと悟ったからです。現代の戦争は、有人兵器の戦いではなく、無人兵器を効率よく人を殺せるようにプログラミングする者同士の戦いに変容していきます。結局のところ、人間を拡張していくタイプの技術行使はもはや不要であるし、人を滅ぼすものでしかないだろう、というのが現在の結論です。

ここには大きな問題がいくつかあります。その最たるものは、無人兵器をプログラミングする人間たちは「愚民」ではないということです。つまり、安く効率よく破壊することや、人を殺すことに集中していればいいのです。こういう人たちの考える兵器や戦術は、本当に怖いのです。スペアもいらなければ、ブレ幅もない、ひたすらピンポイントなものになるでしょう。ただし、動く人は殺すのだけど、敵と味方の識別ができるか、そもそもそれが必要だと考えるかさえ怪しい。そうである以上、技術者たちに技術を触らせてはいけない、占有させてはいけない、というところまで考えるようになりました。

今の戦争は一般人のあずかり知らないところで起こっている、そう考えるべきです。アルメニアとアゼルバイジャンの紛争では、途中でアルメニア軍が兵士たちにスマートフォンの使用を禁じたそうですが、徹底しきれなかった。ＧＰＳの電波が拾われて、ドローン攻撃の標的になってしまいました。

戦争の変容は無人兵器やGPSだけではありません。現代の戦争はサイバー攻撃から情報戦、外交や経済など、あらゆる領域でいつ起こっているかわかりません。ある国でインフラが急に停止したとしたら、パイプラインに遠隔操作が行われた可能性がある。日本の物流網にしても、トラックを管理するシステムに細工すれば、かなりの障害が起きるはずで、その機を狙って物理的な攻撃がなされてもおかしくありません。

それどころか、お互いの国民が気づかないまま戦争が始まり、終わっていることだってありえるだろうし、両国のトップが国民のあずかり知らないところで目に見えない局地戦を始めている可能性すらあります。米国大統領選ですら、サイバー技術を駆使した大国同士の「戦争」だったことは、記憶に新しいところです。プーチンが「やってない」と言っておきながら「しかし、愛国者というのは何をやるかわからないから、その監視はしなくてはいけない」と言ったことは、トランプの選挙に手を出したやつがいると認めていることです。

――シリーズを通して複数の人物が「人類がニュータイプに変革し、理解し合えば戦争はなくなる」と語るシーンがありますが、実際のストーリーはむしろニュータイプの存在が戦争を複雑にし、長期化させているようにも見えます。仮に人類すべてが全能型ニュータイプになったとすれば、平和な世の中になるとお考えでしょうか？

富野　まず、全能型ニュータイプなど、生まれないと言っておきます。絶対に生まれない。共和政ローマで三頭政治が生まれたのは、一人の人格と知性に限界があることがわかっていたからです。だから「三人寄れば文殊の知恵」のたとえのとおりなのですが、三人で一人の人格など作りようがありません。劇中で「戦争はなくなる」と語られざるをえない、そのようなムードになってしまったのは、劇を作るうえで仕方がなかったことです。

「全能者」たちの世界というものを考えてみると、戦争などしている暇はないはずです。ニュータイプたちは協調に向かうしかないはずなのだけれど、そこにたどり着けないのには理由があります。齟齬《そご》があるからドラマができるのだ、ということです。協調のドラマには何も起こらない。憎しみをモンスターに仕立てあげるから、我々愚民どもはドラマに大喜びするのです。

だから、ドラマを成立させるということは愚かな行為なのかもしれない。そうしたことも徐々に意識するようになりました。だから「ガンダムと手を切った」と言って、戦記物を放棄することになったのかもしれません。

ただ、調和が理想であるとは言えない現実に、我々はとっくに気づいてもいます。つまり、地球が有限のものであり、地球資源を利用して生存することの限界がある以上、調和を達成しても終わりは来るということです。

それなのに、「自然破壊」を「開発」と言い換えて限界を見ないふりをしてきた。こうした我々の言葉遣いをなんとかしないといけません。「世界人口が一〇〇億を超えようと問題はない」という愚かな言葉が、政治経済にあふれています。

コロナ禍にあっても、世界人口は減っていないわけです。こんなことを言えば猛烈な批判を浴びるでしょうが、地球の有限性を考えれば、むしろそちらのほうが危機なのに、誰もそんなことは言わない。言わないことが善意や道徳であるならば、ますます愚民以下、「知の愚迷」と言わざるをえません。

新作への自負と注ぎ込んだメッセージ

——二〇二一年七月に劇場版『GのレコンギスタⅢ』が公開されました。ガンダムシリーズの世界で人類が滅亡の危機を経験してから一〇〇〇年以上の時が経ち、生き残った人々の子孫が技術の進歩に制限をかけることでかろうじて繁栄を保っているという設定です。人類史がいったん断絶されているわけですが、人類存続には絶滅の危機までもが必要とお考えでしょうか？

富野　我々は地球の寄生虫なのです。人類が猛烈に努力すれば、あと三〇〇年は生き長らえることができるかもしれませんが、五〇〇年は無理でしょう。せめて、孫たちが苦しまずに生きていけるような環境であってほしいとは思いますが、すでにアマゾンの熱帯雨林もかなり伐採されてしまっていますし、シベリアや東南アジア、アフリカの森もそれほど長くは存続しそうにありません。「温暖化は嘘だ」という言説が大手を振ってまかり通ってしまっているのは、いよいよ末期症状です。人類が滅亡に直面して、そこから再生するまでに一〇〇〇年あれば何とかなるのかもしれない、というごくわずかな希望を『Gのレコンギスタ』に導入しました。

有限性に気づかないふりをしている人たちへの嫌悪は、宇宙移民に対する地球人の傲岸《ごうがん》さとして、これまでのガンダムシリーズの中にも反映されていると思いますが、きちんと表現しきれていないのは、表現者としてその程度だからです。これは謙遜でも卑下でもなく、そう思います。

すごく偉ぶったことを言います。僕にスティーヴン・ホーキングみたいな能力があれば、もっと影響力のある発言ができました。それができないのは、たかがアニメ屋だからです。ただ、アニメや漫画の側にいるから、こういう言い方ができるともいえます。国のトップの立場にいたら、こんな言い方は口が裂けてもできないでしょう。ガンダムを使えば一番言いたいことを伝えられるので、ガンダムを利用できるようになりました。現実の厳しさを好きに言えるのはアニメのおかげです。

『Gのレコンギスタ』がガンダムシリーズから世界観を受け継いでいる、という営業的な説明は、正直に言えばどうでもいいのです。三〇年もしたら、ガンダムとは無関係に『Gのレコンギスタ』の本質を観てくれるはずだという自信があるからです。『Gのレコンギスタ』は戦記物ではありません。たしかに戦争は起こるけど、世界観が根本的に違うのです。一度、人類は絶滅したかもしれない。そこから再構築の時間が一一〇〇年あり、地球にエネルギーとなる資源はもう残されておらず、ロケットエンジンがもたらす環境汚染を許容できる状態でもない。兵器使用なんてとんでもなく、科学の進歩に制限がかけられているという基本設定です。

では、エネルギーをどうするか。そこは本当に考えました。宇宙には宇宙線という放射線が飛んでいて、それを集約していくことでエネルギーを獲得する技術ならば手に入れられるのではないか。それは同時に、地球にあるものを掘り起こしていくようなことは絶対にしてはいけないし、地球を「人が住む物理的な球体」以上のものにしてはいけない、という切迫感を物語の構造に採り込むことにもなります。

宇宙で作るエネルギー源「フォトン・バッテリー」は、「キャピタル・タワー」と呼ばれる宇宙エレベーターを鉄道網として地上へ運ばれます。キャピタル・タワーには五〇〇キロごとに「ナット」と呼ばれる中継都市が設けられ、工業生産はすべてナットで行われる。「キャピタル」は「首都」である以上に、「資本」を意味しています。宇宙モノで経済をしっかり描いたものを、僕は見たことがありません。

つまり、進歩を捨てて、宇宙から「聖なるもの」と崇められるエネルギーをせっせと運び、中継点で生産をしないと「地球で暮らす」という擬制が続けられない世界の話なのです。制約のもとで、平和を保つことが唯一の生存の道なのに、技術への誘惑は表面上の調和に穴を開けてしまう。

ここでお話ししてきたようなことを考えながら宇宙モノを作っている人がいたら教えてほしい。そう言い切れるだけのものを『Gのレコンギスタ』に詰め込んだと自負していま す。そして、四〇年、五〇年先の考え方を詰め込んだとも自負しています。

正直に言って、人類は滅びるだろうと思っています。でも、『Gのレコンギスタ』を観て共鳴してくれる子どもたちに希望を託したいという、孫に期待するような思いも捨てきれない。だから、人類が滅びるまで宿命に抗ってほしい。これがニュータイプになりたかったおじいちゃんからの遺言です。

構成・文＝柳瀬 徹

ケヴィン・ケリー

編集者・ジャーナリスト

今だから考えたいテクノロジーとの付き合い方

インタビュアー＝大野和基（国際ジャーナリスト）

ケヴィン・ケリー　編集者・ジャーナリスト。一九五二年、アメリカ・ペンシルベニア州生まれ。雑誌『ホール・アース・カタログ』『ホール・アース・レヴュー』の編集に携わり、九三年には、雑誌『Wired』を共同で創刊。九九年まで編集長を務める。『「複雑系」を超えて』『テクニウム』『〈インターネット〉の次に来るもの』などの著書がある。

伝説の雑誌『ホール・アース・カタログ』、そして『Wired』などの編集を経て、テクノロジーと人間とのかかわり方について深く論じてきたケヴィン・ケリー。日本にも造詣の深い彼にあらためて訊く、人間とテクノロジーの理想的な関係とは？

——日本は、一時テクノロジー大国と見られていましたが、デジタル社会への移行に関しては、アメリカに大きく後れをとっています。

ケリー　日本はありとあらゆる点で、私にとってミステリーですね。日本のことは全く理解できません。五輪もそうです。新型コロナウイルスの感染者が増えているのに、なぜ五輪を開催するのか。一体何をやっているのでしょうか。ドコモは一時、iモードで世界を大きくリードしていましたが、今やいろいろな面で置いていかれています。私はかつてトヨタ・ファミリーでした。プリウスなど、ずっとトヨタの車に乗っていました。電気自動車もトヨタにしようと思っていました。でもどこにトヨタの電気自動車があるのですか？　トヨタはどこで道を誤ったのでしょうか。理解に苦しみますね。今日本で起きていることは、どう解釈していいか全くわかりません。この不満をどうぶちまけていいのか、わかりません。

仮想現実と現実世界の棲み分け

――サイバネティクス、そして人間拡張の動きにおいて注目すべきテクノロジーはありますか？

ケリー 私はずっと、脳をコンピュータとつなぎ、人間の能力を高めたり、活動を補助したりする「ブレイン・コンピュータ・インターフェース（Brain-Computer Interface＝BCI）」について懐疑的でした。可能であるとは思っていましたが、かなり遠い未来の話であると思っていました。が、最近ニューラリンク（Neuralink＝イーロン・マスクによって設立されたニューロテクノロジー企業）とメアリー・ルー・ジェプセン（最先端ディスプレイの世界第一人者）のオープンウォーター（OpenWater）のデモンストレーションを見て、はるかに現実に近いと思いました。ここでは脳から直接デジタル・インターフェースに信号を送ることができるデモンストレーションがありました。非常にパワフルなものです。完成するのは二五年先のことかもしれませんが、それでもこのデモを見る前は、

ケヴィン・ケリー　©Agencia EFE/アフロ

クレイトン・ベイリー作のロボットの彫刻とケリー。
1993年、カリフォルニア州ポートコスタ。©Getty Images

何百年も先のことだと思っていました。

ここで使われているテクノロジーの一つは、非常に興味深いもので、注目すべきものです。頭蓋骨は近赤外線波長では透明になり、光が頭蓋骨を通すことがわかりました。正しい波長でLED光拡散キャップを作ってそれをかぶると、脳の中を実際に照らすことができます。光が跳ね返ってリアルタイムで脳の3D画像を撮ることができるのです。いったんそこまで可能になると、3Dでニューロンを追跡できるようになります。このテクノロジーを使うと、今あなたが考えていること、もしかしたらあなたが見ているものを相互に関連付けて、それを読み取り、活字にすることができるかもしれません。このテクノロジーこそ、今注目すべきものです。

——テレパシーができるということですか?

ケリー　実際に話さなくても意思を伝えられるパワフルなテクノロジーです。思考するだけで、お互いにコミュニケートできる可能性を秘めています。体が不自由な人でも、意思の疎通ができるようになるかもしれません。精神の病を治療できるかもしれません。病院に行って器械の中に入らなくても、リアルタイムで脳の3Dマップを得ることができるのです。

——うそ発見器として使えるかもしれませんね。

ケリー　そうです。多くの可能性がありますが、うそ発見器としての機能もその一つです。

——仮想現実技術の発達は、現実世界と乖離《かいり》して生きていく人々を生み出すという仮定に対して、どう思いますか。例えば大掛かりなものでは映画『マトリックス』もそうかもしれないし、ミニマムなものでは中国のSF小説『三体』に登場するVRゲームのような世界に没頭してしまうこともそこに含まれるかもしれません。人類は、現実世界と仮想世界との棲み分けをどのように行うべきでしょうか。

ケリー　これはよく起こる懸念です。それはハリウッド映画ではよく見ますが、現実の世界ではその混乱はあまり見られません。たまに「オタク」型の人間が現実世界と仮想世界の区別がつかなくなり、自分が浸っている仮想現実の世界を現実の世界と思って、全然部屋から出てこなくなる場合もあります。でも人はずっとオンラインの状態であることに飽きます。誰もがそこから離れたくなくなるような、すごい世界を想像することはできますが、我々は今のところ、そういう世界を作っていません。現実のほうがはるかによいので、将来もその棲み分けの問題は心配しなくていいわけです。

キリスト教と人間拡張

——アメリカ人の中でも宗教的に保守的な人は、人間拡張の動きについてどのように考えているのでしょうか？　保守的な信条は人間拡張の発想と矛盾しているように見えますが。

ケリー　確かに矛盾しています。特にキリスト教保守派の信条は、不変の人間性を信じ、そのままの人間性が神聖なるものであるという考えを持っていますが、それは完全に間違っていると思います。神聖なのはいいでしょうが、不変というのはおかしい。人間性は変化するものであるからです。人間は自分自身を作り上げたのです——人間性を作ったのです。最初から我々は変化し続けています。その過程はまだ終わっていません。これからも我々は自分たちを変え続けます。我々は遺伝子工学で自分たちを変えます。我々は種分化（進化して新種を形成する）するかもしれません。我々以外の種が生まれてくるかもしれません。我々は大きく変化し、自分たちを定義する方法も変えるでしょう。しかし、ほとんどの宗教は、「人間性は変化しない」という旧態依然とした考えを持っています。もちろんその信条は尊重しないといけませんが、私は人間性は絶えず変化しているものだと思っており、その考えも尊重してほしいです。

――あなたはカトリックですか？

ケリー　カトリックの中で育てられ、カトリックの学校に行きましたが、私自身はカトリックではありません。もちろん影響を受けましたが、カトリックはローマ教皇や聖書を非常に重要視します。が、私にはそういう考えはありません。私は広い意味でイエス・キリストのフォロアー（信奉者）なので、クリスチャンですが、聖書を文字通りに信じておりませんので、カトリックではありません。

――アーミッシュのように近代テクノロジーの使用を拒否する人々がいます。これは人間やコミュニティが変化することとの拒否だと考えることができます。テクノロジーや社会の複雑化によって、今後そうした動きが複数の地域や層から現れる可能性が高まっているという考えについて、どう思いますか？

ケリー　アーミッシュはまだマージナル（社会の主流ではない少数派の集団）ですが、私から見ると興味をそそられるコミュニティです。彼らは我々にとって学ぶべき教訓を示してくれます。我々の多くは新しいテクノロジーが出てくると何も考えずにすぐに飛びつきますが、彼らはそうしません。自分たちの判断基準で採り入れるか拒否するかを決めます。自分たちのコミュニティの絆を弱くするようなテクノロジーは拒否しています。最もよく見られるのは馬車で移動している光景ですが、自動車を使わないことで遠くに行かず、それだけコミュニティ内にとどまるので、絆が強くなります。

学識者や作家や批評家のような、観察力の非常に鋭い人はテクノロジーに対する考え方が変化しつつあると言われていますが、広範囲にその現象は見られません。テクノロジーを捨てている人は誰もいません。アーミッシュに見られるようなテクノロジーの拒否はまだ起きていません。確かにアーミッシュの生活様式を見ることで、テクノロジーに対して一歩下がって冷静な見方をすることができるようになればいいと思います。

「持つ側」と「後から持つ側」

――人間が使いこなせないほど複雑なテクノロジーは、人を幸せにするでしょうか？　また、今後テクノロジーの複雑さ、高機能化はますます高まると思われます。それがある到達点に達したとき、人と共生できなくなるでしょうか。

ケリー　最先端のテクノロジーやアプリという意味でいうと、間接的に人をより幸せにするといってもいいでしょうね。使いこなせるか使いこなせないかは人によります。例えば、私のスマートフォンに入れているアプリで、最寄りの公衆トイレを見つけてくれるアプリがあります。それは使いこなせないほど複雑なものではなく、非常に便利なアプリです。もちろん、公衆トイレが見つかったからといって、より幸せを感じるとはいえないかもしれません。一〇〇〇年前なら林の中に入って済ませていたでしょうし。でもアプリがあるおかげで最寄りのきれいなトイレにすぐに行くことができます。テクノロジーのおかげで選択肢が増えたのです。それぞれのテクノロジーによってもたらされる、小さな選択肢は、一つだけとっても我々に対する影響は目に見えませんが、選択範囲を増加させます。それは間違いなく我々をより幸せにします。

——でももちろん、そのテクノロジーの利用法を知らないといけないと思います。テクノロジーが複雑になっていくとともに、テクノロジーを「持つ側」(haves) と「持たざる側」(have-nots) という立ち位置の違いが、格差になりうるという考えについて、どう思いますか?

ケリー 最初はもちろん格差になりますが、私のそれに対する見方は「持つ側」と「持たざる側」の違いではなく、「持つ側」と「後から持つ側」(have-laters)の違いです。いずれはみんな持つようになります。裕福な人はかなり初期にテクノロジーを手に入れます。最初は、非常に高価なのに十分に使いこなせなくて、混乱が起きるかもしれません。でも、裕福な人はそれでもお金を払います。それで彼らがどんどん使うことで、テクノロジーが修正されて価格が安くなっていきます。安くなるので広く行き渡り、また修正されるので、さらに質がよくなります。裕福で、テクノロジーを早期に導入する人は、高くても購入することで資金を提供し、すべての人のために、テクノロジーを助成するのと同じになります。その導入率は時間の経過とともに増加します。そして、あるテクノロジーが導入されてから、みんなに使われるまでの期間がどんどん圧縮されます。

——AIの進化は、常に労働力などの問題にかかわってきます。そして、AIができる仕事が増えると人間排除の動きであると批判される傾向にありますが、これについてどう考えますか?

ケリー　今のところ、その証拠はありません。簡単な例でいうとオートメーションが雇用を減少させているという類の証拠は一切ありませんね。AIをはじめとするオートメーションは人間がやる仕事を排除するのではなく、シフトさせています。一つの仕事の中で人間がやるタスクが変わるだけです。人間がやりたくない、やるべきではない仕事はAIがやります。そして、それが人間を余分な仕事から解放し、他のことをできるようにします。AIによって確かに人間がやる必要のあることは減りますが、新しいテクノロジーが生み出す他の仕事が生まれ、それを人間がやるのです。それがAIによってもたらされるものので、全体で見ればプラスになるのです。

――将来どういうテクノロジーが出てくるか予測できたらいいですね。

ケリー　もちろん将来どういうテクノロジーが出てくるかわかるに越したことはありませんが、無理なことです。学生たちの九〇パーセントは、大学で専攻した専門分野で勉強したことを将来の仕事に使わないと断言できます。学んだことがキャリアのためにすぐに役に立たなくなるかもしれません。が、それは重要なことではありません。必要なのは、本当にすぐれたクイック・ラーナーになることです。それはすべての人に当てはまります。

このことは、現在仕事をしている高齢者だけではなく、大学を卒業したばかりの人にも当てはまります。学ぶ方法を絶えず更新し続ける必要があるのです。

翻訳家・書評家

大森 望

SF作品が夢見た人間拡張

おおもり のぞみ　SF作家、書評家、翻訳家。一九六一年、高知県生まれ。責任編集の『NOVA 書き下ろし日本SFコレクション』全一〇巻（河出書房新社）で第三四回日本SF大賞特別賞、第四五回星雲賞自由部門受賞。著書に『21世紀SF1000』『新編 SF翻訳講座』（河出書房新社）など、訳書にテッド・チャン『息吹』、劉慈欣『三体』（共訳、共に早川書房）などがある。

人間拡張の概念を単なる小道具にとどまらず、作品の世界観を形作る要素として扱ってきたSF作品。その当時は、荒唐無稽にも思えた拡張技術の数々は、いまや現実のものとなりつつある。なかには、SFに着想を得て開発されているテクノロジーもあることだろう。SF作品が描いてきた人間拡張の概念について、翻訳家で書評家の大森望が語る。

肉体改造、サイボーグ化、遺伝子改変、超能力の獲得、意識のアップロード、機械との融合、種としての進化……。古来、フィクションの世界では、人間拡張のさまざまな方法が考案されてきた。その歴史は古く、不老長寿や若返り願望まで含めれば、〝人間拡張〟という発想は、古代メソポタミアの『ギルガメシュ叙事詩』まで——つまり、人類文明の始まりまで——遡る。

未来を描くSFのなかで、いまや人間拡張は、ありふれた背景のひとつ。百年先、千年先を描くのに、そこに登場する人間が現在とまったく変わっていないとしたら、むしろそのほうがリアリティがないと言われるかもしれない。

精神を拡張する

たとえば、全世界で二九〇〇万部のベストセラーになった劉慈欣《りゅうじきん》の《三体》三部作の第二部『黒暗森林』（二〇〇八）では、地球よりも圧倒的にすぐれた文明を有する異星人（三体文明）の侵略に対抗する手段のひとつとして、人間の脳に揺るぎない信念を刻印する〝精神印章〟という技術が開発される。ふつうに考えれば、人類が三体文明に勝利する可能性はゼロに等しいので、誰もが敗北主義に陥ってしまう。それを防ぐために、勝利の信念を宇宙軍の兵士に植えつけようというのである。精神に刻印される信念とは、「三体世界の侵略に抵抗する戦争に、人類はかならず勝つ。太陽系に侵入した敵は、かならず抹殺する。地球文明は、この宇宙に永遠に存続する」。

従来のSFなら、人類の知力を増強しようと考えるところだが、あえて〝信念〟に着目した点がおもしろい。作中では、こうした試みは内心の自由を奪う思想統制ではないかと世界各国の激烈な反発を招くし、そもそもこのプロジェクトの裏には秘められた別の目的があることが判明するのだが、〝精神印章〟というアイデアに倒錯した魅力があることは否定できない。

人間の精神を操作するというモチーフは、一九三二年に出版されたディストピアSFの古典、オルダス・ハクスリーの『すばらしい新世界』にすでに登場している。

この小説に描かれる未来社会（西暦二五四〇年）では、子どもは母親からではなく、人工授精によって瓶から生まれるので、親子関係は存在しない。結婚制度もないから夫婦関係もなく、当然、家族という概念もない。テクノロジーの進歩で病気も老化も追放され、すべての人間はセックスとスポーツを楽しみながら健康で幸せな毎日を送り、満六〇歳で安楽に死ぬ。社会の安定を維持するため、個々の人間は出生（出瓶）前から社会階層が決められ、さまざまな条件づけと睡眠学習によって自分の属する階層に最適化され、それによって（個々人の主観では）万人の幸福が実現している。生まれながらにして「私はハッピーです」という精神印章がほどこされているわけだ。少子化も高齢化も、戦争も暴力も、不況も金融危機も、自殺も食糧問題も教育問題もない、すばらしい新世界……。

あなたの健康を見守ります

この理想的な世界をさらにソフト化したのが、伊藤計劃《けいかく》『ハーモニー』（二〇〇八）で

『三体Ⅱ黒暗森林』(上下巻)
劉慈欣著/大森望、立原透耶、上原かおり、泊功訳/早川書房刊/2020年

『あなたの人生の物語』
テッド・チャン著/
浅倉久志・他訳/
早川書房刊/2003年

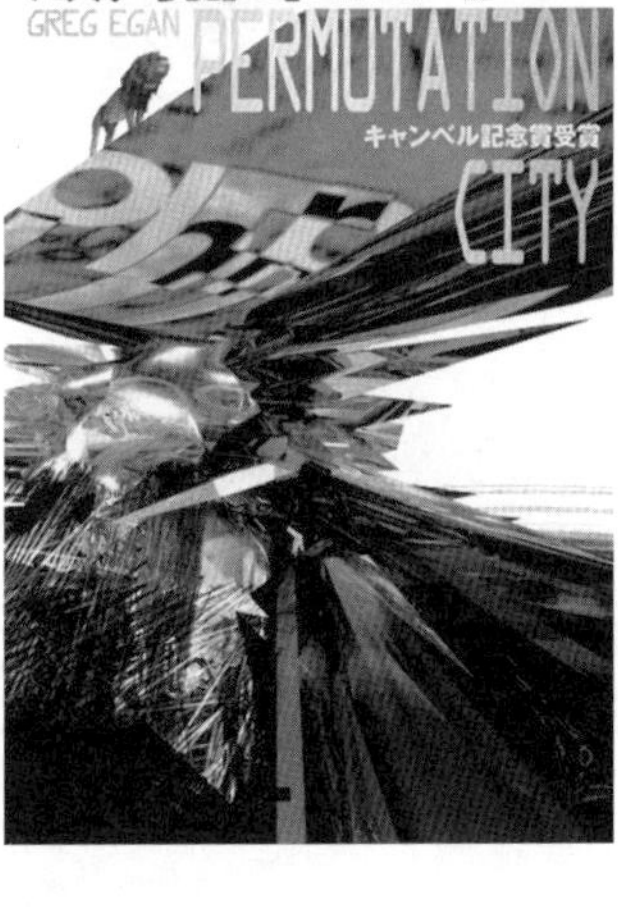

『順列都市』(上下巻)
グレッグ・イーガン著/
山岸真訳/早川書房刊/1999年

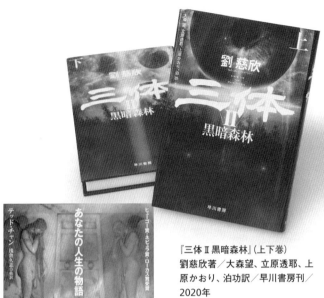

描かれる高度医療社会。そこではWatchMeと呼ばれる医療用ナノマシンが万人の体内でつねに体の状態を見守り、理想的な体型や心身の健康を維持してくれる。この〝真綿で首を絞めるような、優しさに息詰まる世界〟に叛旗《はんき》を翻《ひるがえ》した少女たちの物語から『ハーモニー』は幕を開けるのだが、二〇二一年のいま、この高度な健康監視社会は、スマホと連動する腕時計型ガジェットによってある程度まで現実化している。実際、〝健やかな毎日のための究極のデバイス〟を標榜するApple Watchのサイトに行けば、「いつもあなたを見守っています」と大きな親しみやすい字で書いてあって、まるで頼りになる優しいビッグ・ブラザーのようではないか。

健康監視の流れは、新型コロナウイルスの流行によって、世界的にますます加速している。『三体』の劉慈欣も参加したフジテレビのトーク番組『世界SF作家会議』では、各国の名だたるSF作家たちが人類の未来について意見を交換したが、中国の若手SF作家・陳楸帆《ちんしゅうはん》は、『ハーモニー』に触れつつ、人体埋め込み式のチップを通じて個人の健康状態をチェックすることがもうすぐあたりまえになるかもしれないと語り、次のように述べている。

しかしその中で人の自由、倫理のボーダーはどこにあるのか。政治のコントロールは市民の行動をどこまで支配するのか、について考えていく必要があります。データのプライバシーは徹底して保護されるべきで、それは今後の重要な問題になると思います。

（『世界SF作家会議』早川書房より）

『三体』の英訳者であり、SF作家としても世界の最前線に立つケン・リュウは、人類滅亡をテーマにした『世界SF作家会議』第二回で、人間拡張によって変化した人類は、自分たちのことをもはや人類ではなく〝ポストヒューマン〟（後述）だと考えるのではないか、だとすれば〝人類〟は滅亡するのかもしれないと述べ、モラルの問題に言及している。いわく、

わたしにとってもっとも興味深い問いは、ポストヒューマンがいまの人類と比べて、モラルという点で優れているかということです。知能的にも身体的にもより優れた人間をつくることは容易ですが、モラル的に優れた人間を作ることは遥かに困難です。ですので、もしポストヒューマンが現代人より優れたモラルを獲得できたとしたら、ある意味、人類の滅亡は嘆くべきことではなく、祝うべきことかもしれません。

（前掲書）

このようなモラルの変化は、前述した劉慈欣『黒暗森林』でも描かれる。二〇〇〇隻から成る地球艦隊が三体文明の探査機一機になすすべもなく蹂躙《じゅうりん》されたのち、数少ない生き残りの宇宙船がかろうじて逃げ延び、太陽系を脱出するが、その乗員たちを待っていたのは心理的な変容だった。そのことに気づいたクルーの間ではこんなやりとりが交わされる。

「……実際、わたしたちの心の中で、地球はもう死んでしまった。この五隻の宇宙船は、どんな惑星ともつながっていない。わたしたちのまわりには、宇宙の深淵以外なにもない」

「たしかに、人類がこれまで直面したことのない心理環境です」

「そう。このような環境下では、精神に根本的な変化が起こり、人間は変容する……」

「つまり、この環境では、人間は新人類になるということですか？」

（中略）

「新人類？　いいえ、中佐。人間は……非人類になる」

（『三体Ⅱ　黒暗森林』早川書房）

彼らが獲得する新たなモラルはたしかに非人間的、いや、非人類的なものであり、われわれ人類の道徳では測れない。もちろん、それが（ケン・リュウの言うように）〝現代人より優れたモラル〟となる可能性もあるが、われわれがそれを〝優れたモラル〟と判断できるのであれば、彼らはまだ人類の一員であるということかもしれない。

ポストヒューマンへの道

中国系アメリカ人作家テッド・チャンは、三〇年を超えるキャリアでわずか一八篇の短篇しか発表していないが、にもかかわらず、現代SF最高の作家のひとりと目されている。彼の代表作のひとつで、ドゥニ・ヴィルヌーヴ監督の映画『メッセージ』の原作としても知られる短篇「あなたの人生の物語」（一九九八）では、異星人との接触による認識の変革（意識の拡張）が描かれる。小説の主人公は、言語学者のルイーズ・バンクス博士。ヘプタポッド（七本脚）と呼ばれる異星人とのコミュニケーションを試みるファーストコンタクト・チームに招聘《しょうへい》された彼女は、彼らの言語を学ぶことにより、しだいにヘプタポッド的な思考方法を身につけていく。人類は、時間を順序にしたがって認識している（因果律的解釈）が、ヘプタポッドはすべての時間を同時的なものとして認識する（目的論的解釈)。彼らにとって、原因と結果、前提と結論は交換可能なものであり、未来と過去に違いはない。やがてヘプタポッドの時間認識を獲得したルイーズは、過去も未来も関係なく、自分の人生のあらゆる局面を同時に回想できるようになる……。

しかし、SFのなかでは、こうした認識の変革(意識の拡張)は、テクノロジーによってもたらされることが多い。このテーマが現代のSFで大きくクローズアップされ始めたのは、パーソナルコンピュータの登場とともに一九八〇年代に勃興したサイバーパンクからだろう。「記憶屋ジョニィ」(一九八一)や「クローム襲撃」(八二)、『ニューロマンサー』(八四)をはじめとするウィリアム・ギブスンの《スプロール》シリーズでは、コンソール・カウボーイと呼ばれるハッカーたちがサイバースペース・デッキを使って電脳空間にジャックインする。コンピュータ・ネットワーク上の仮想空間に脳をダイレクトに接続するというギブスンのアイデアは、士郎正宗の漫画『攻殻機動隊』など多くの作品に採用されて、近未来SFのスタンダードになった。

ギブスンと並ぶサイバーパンクのスターで、革命の書記長とも呼ばれたブルース・スターリングは、『スキズマトリックス』(一九八五)をはじめとする《生体工作者《シェイパー》/機械主義者《メカニスト》》

シリーズで、遺伝子的な肉体改造派とマシンによる肉体改造派が対立する未来史を描いた。肉体改造におけるバイオ技術系とサイボーグ技術系と言ってもいい。前者の先祖は、メアリー・シェリー『フランケンシュタイン』や、H・G・ウエルズ『透明人間』『モロー博士の島』まで遡るし、後者は、義手や義足、人工臓器まで含めれば、すでに現実になっている。

しかし、どちらの場合も、身体改造がある程度以上進むと、人間とは呼びがたい異質な存在になってくる。そういう存在のことを〝人間以後〟という意味で〝ポストヒューマン〟と呼ぶ（サイバーパンクの文脈では、〝人間以後〟の新人類が登場するタイプの作品を指して、〝ポストヒューマニズムSF〟と呼ばれた）。

それを踏まえて、『三体』の劉慈欣は、〝百年後〟をテーマにした『世界SF作家会議』第三回で、人類の文明は過去一万年で大きく変化したが、人類の生物学的特徴はほとんど変化していないと指摘し、以下のように述べている。

しかし、今後百年間で、人類は科学技術を通じて私たち自身の進化に直接介入し、身体的な改変を行う可能性があります。進化に関わるテクノロジーには、分子生物学、遺伝子工学、情報科学、人工知能などが含まれます。たとえば、遺伝子工学と分子生物学を使って私たち自身の生物学的性質と生物学的構造を変え、人間の寿命を大幅に延ばしたり、さらに大きな変化をもたらしたりすることができます。人工知能と情報技術を利用し、人間と人工知能を持つマシンを組み合わせることで、人間と機械が統合された新しい人類を生み出すことができます。（前掲『世界SF作家会議』）

永遠への長い道

シェイパーでもメカニストでもないポストヒューマン第三の道として、九〇年代以降のSFで一般的になったのが人格のデジタル化（意識のアップロード）。人間の記憶や感情も含めて人格すべてをデジタル的に複製し、コンピュータ空間に転送または複写しようというアイデアだ。

このアイデアの可能性を徹底的に突き詰めたのが、現代SFでもっとも知的な作家のひとり、グレッグ・イーガン。彼の第二長篇『順列都市』（一九九四）では、〝永遠の生命〟を手に入れるために、この技術が利用される。時は二一世紀半ば、人間の意識をデジタル化した数千人の〈コピー〉がすでに仮想空間で暮らしている。その〈コピー〉のひとり、ポール・ダラムは、大富豪の〈コピー〉たちに、あるプロジェクトを提案する。現在の〈コピー〉は、それを走らせているコンピュータに依存しているから、コンピュータが物理的に存在しなくなれば、〈コピー〉の生命も尽きてしまう。しかし、ダラムのプロジェクトは、たとえ地球が滅びても――いや、この宇宙が終末を迎えても――〈コピー〉が文字どおり永遠に生きることを保証するものだった。そのために使われるのが、TVC宇宙と呼ばれるセル・オートマトン（自己増殖するパターン）の世界。このシミュレーション宇宙は、いったん〝発進〟さえすれば、コンピュータの電源が落ちようがどうしようが、外の物理世界に関係なく、永遠に続く。なぜそんなことが可能なのかについては、〝塵理論〟というSF史上もっとも大胆不敵な架空理論で巧妙に（詐欺的に）説明されるので、未読の方はぜひ現物を参照してください。

それにしても、永遠の生命を手に入れた〈コピー〉はいったいなにをして無限の時間をつぶすのか。登場人物のピーは、あるとき、テーブルの脚をつくり始める。

作業場の隣には、テーブルの脚でいっぱいの倉庫があった――現時点で十六万二千三百二十九本。ピーに想像できる最高の満足とは、二十万の大台に到達することだった。それ以前に自分の気が変わって、作業場を放棄する可能性も大なのは、わかっていたが。新しい天職は界面《エクソセルフ》ソフトにランダムな間隔で強要されるのだが、統計的に見て、次の番が来るのは大幅に遅れていた。木工に従事する直前まで、ピーは全身全霊をあげてセントラル・ライブラリにある高等数学の教科書を読破し、指導教官ソフトウェア全員分を走らせ、それから自分でも、群論に関するいくつかの新しい重要な貢献をした（中略）。その前には、三百を超える喜歌劇の台本を、イタリア語とフランス語と英語で書き、操り人形の役者と観客をそろえて、その大半を上演した。その前には、人間の脳の構造と生化学的特徴を、六十七年間も勤勉に研究した。（『順列都市』ハヤカワ文庫）などなど。永遠の時間があれば、何をしても時間の無駄にはならないし、気分はソフトウェアがコントロールするから、退屈する心配もない。ある意味、これこそがポストヒューマニズムかもしれない。

テクノロジーで変わる意識

イーガンは、もっと現実に近いテクノロジーを使って認識を変革する小説も書いている。短篇の代表作「しあわせの理由」（一九九七）の主人公は、脳腫瘍の治療の影響でしあわせを感じる脳神経が死滅するが、実験的な先端医療で、そのかわりとなる義神経をかたちづくる特殊なポリマーを注入される。しかし、新たに生まれた義神経には、まだ〝ぼく〟個人のニューラル・ネットワークが形成されていない。データベースに登録された若い成人男性四〇〇〇人分の神経接続パターンを重ね合わせた状態から出発し、〝ぼく〟は、あらゆるもの――食事、音楽、美術から、対人関係まで――について、自分の好みを自分で設定し、新たなネットワークを構築していくことになる。イコライザーで周波数帯域ごとに音の強弱を調節するように、〝ぼく〟は頭の中の目盛を動かし、〇から二〇までの数値を設定する……。

この小説で示されている人間観は徹底的に唯物論的なものだ。「結局、人間の気分なんて神経伝達物質次第なんだよね」とか言うけれど、イーガンはその考えかたを徹底的に突き詰める。「ロックよりジャズが好きで」とか「漫才より落語かな」とか「ピカソもいいけどやっぱりマティス」とか、人にはさまざまな好みがあるけれど、自分の頭の中の確固たる基準（と思い込んでいるもの）が、実は目盛をちょっといじるだけで簡単に変わってしまうかもしれない。しかし、そもそもそれはそんなに特殊なことなのか。〝ぼく〟は苦い経験を経て、やがて次のような独白に至る。

ぼくの頭の中にあるのは、父から、母から、そして、想像を超えた遠い過去の、人類も原人も含めた一千万の祖先からうけ継いだものだ。そこにあらたな四千人分が加わったからといって、なにが変わるというのだろう？　人はみな、同様の遺産から——普遍的な面と各人固有の面を半々にもち、容赦ない自然淘汰によって高い能力を、偶然にもてあそばれて柔軟性を獲得した遺産から——自分の人生を作っていく。ぼくはその過程を、ほんの少し具体的に意識せずにはいられないだけだ。

そして、そうやって生きていくことが、ぼくにはできる。意味のないしあわせな気分と、意味のない絶望感がいりくんだ境界線上を歩いていくことが。もしかすると、ぼくは運がいいのかもしれない——その細い線上に踏みとどまるには、たぶん、線の両側に広がっているものをはっきり知っていることが、いちばんだいじなのだから。

（『しあわせの理由』ハヤカワ文庫）

人間拡張とどうつきあうか

テッド・チャンの短篇「偽りのない事実、偽りのない気持ち」（二〇一三）では、頭の中でキーワードを思い浮かべるだけでライフログを自在に検索できるツール「リメン（Remen）」が物語の核になる。カメラロールにある数千枚の写真から目当ての一枚がなかなか探し出せない――という苦労は多くの人が日常的に経験しているだろう。動画や音声のかたちでプライベートな記録を膨大に残しても、検索がたいへんすぎて参照できない。だが、リメンはユーザーの会話を監視し、過去の出来事に関する言及があれば（声に出さなくても、はっきり思い浮かべれば）、勝手に記録を検索して関連画像を視野の片隅に投影する。その結果、すぐに証拠が出せるようになり、「言った言わない」の議論は成立しなくなる。すぐに白黒ついていいじゃないかと思うかもしれないが、問題の決着をあいまいにして時間に解決してもらうことがなくなり、むしろ問題が大きくなるのではないか……。リメン反対派のジャーナリストである語り手は、原稿を書くためにリメンを使って自分の過去を調べ始めるが、娘との決定的な仲違いの真相が、自分が記憶していたのとは正反対だったことを知り、衝撃を受ける。

Netflixで配信された英国のTVドラマシリーズ『ブラック・ミラー』の第三話「人生の軌跡のすべて」（ブライアン・ウェルシュ監督）にも同様のモチーフ（記憶チップ）が登場し、夫婦の仲違いが描かれる。一方、テッド・チャンはリメンをめぐる現代のエピソードと並行して、アフリカのティヴ族に初めて文字文化が伝わったころ、部族で初めて書くという技術を学んだ少年ジジンギの物語を語る（ウォルター・オング『声の文化と文字の文化』にインスパイアされたという）。文字によって記録される以前、物語は口承で、語られるたびに細部が変化するものだったし、紛争も当事者の記憶にもとづいて解決されていた。しかし、西洋人との接触によって、彼らの文化は変化を迫られる。部族の代表として書記になったジジンギは、長老から考え違いをさとされ、〈書くことを学ぶために費やしてきた時間によって、ぼくはヨーロッパ人のように考えるようになってしまった。人がいったことよりも紙に書いてあることを信じるようになってしまった。それは、ティヴのやりかたではない〉と述懐する。

紙に書かれた事実と、心の中の真実。いったいどちらが正しいのか？

テッド・チャンは、文字もまた、人間を拡張するテクノロジーだったことを示しながら、リメンのような（スマホのような）現代的なテクノロジーを拒否するのではなく、じょじょにつきあいかたを学んでいくしかないのではないかという視点を提示する。文明の進歩そのものが人間拡張の歴史だったと考えれば、未来を恐れることはない。

SFは、さまざまなかたちでありうべき可能性を検討し、思考実験を通じて、未来に対する準備を整えさせてくれる。

塚越健司

情報社会学者

ポストヒューマンは、「万物のネットワーク化」の夢を見るか？

つかごし けんじ　情報社会学者。学習院大学、拓殖大学非常勤講師。一九八四年、東京都生まれ。研究対象はミシェル・フーコーから、ウィキリークスやハッカー文化までネット社会の諸現象に及ぶ。著書『ハクティビズムとは何か』（SB新書）、『ニュースで読み解くネット社会の歩き方』（出版芸術ライブラリー）など。

「人間拡張」という思想は、「身体強化」と「人間の認識能力の拡大」という二つの方向から語ることができる。サイボーグ化・遺伝子操作による身体強化や、他者と過剰に接続した社会の先に待つものとは。その見取り図を論じる。

医療技術や電子機器を活用することで、脳や身体に何らかの改変を施し、新たな能力の開発を目指す「バイオハッキング」が、世界的な広がりを見せています。こうした「バイオハッカー」たちが目指すのは、人間の能力を強化することです。当然のことながら、バイオハッカーの思想と市民社会の倫理が衝突する場面は少なくありません。

その象徴的な事例が、二〇一七年にオーストラリアのシドニーで起こりました。交通系ICカードのチップを自分の手に埋め込んだ男性が、それを用いて列車に乗車しようとしたところ、乗車券を持っていないという理由から罰金を科されました。男性は自らを「サイボーグ」と呼ぶ、バイオハッカーです。

その後に行われた裁判でも、男性に対して有罪が言い渡されました。無賃乗車を試みたわけではなく、男性はあくまでも自分の身体を介して正規料金で乗車しようとしたわけですが、鉄道会社の規約にＩＣカードの改変・加工を禁じる条項があったことから、不正乗車と見なされたのです。

鉄道会社は、このような人体改変を想定していなかったのかもしれませんが、社員証の代わりにＩＣチップを社員の手に埋め込むような試みは、すでに行われています。急速な技術の進歩を前に、個人の感覚や、法律を含めた社会の合意形成が追いついていないという状況が、すでに生じているのです。

こうしたバイオハッキングを行う主体は、個人や民間にとどまりません。米国防総省の研究機関である「ＤＡＲＰＡ《ダーパ》（国防高等研究計画局）」では、兵士の脳にチップを埋め込みコンピュータと接続させる「ＢＭＩ（ブレイン・マシン・インターフェース）」の研究が進められています。ＢＭＩとは脳波などを検出、あるいは逆に脳を刺激するといった手法で、脳（ブレイン）と機械（マシン）を直接つなぐ技術（インターフェース）のことです（もちろん、ＤＡＲＰＡ以外でもＢＭＩ研究は各所で進められています）。ちなみに、直接脳に器具を埋め込まない、非侵襲的と呼ばれるよりソフトな方法として、ＢＣＩ（ブレイン・コンピュータ・インターフェース）という方法も存在します。

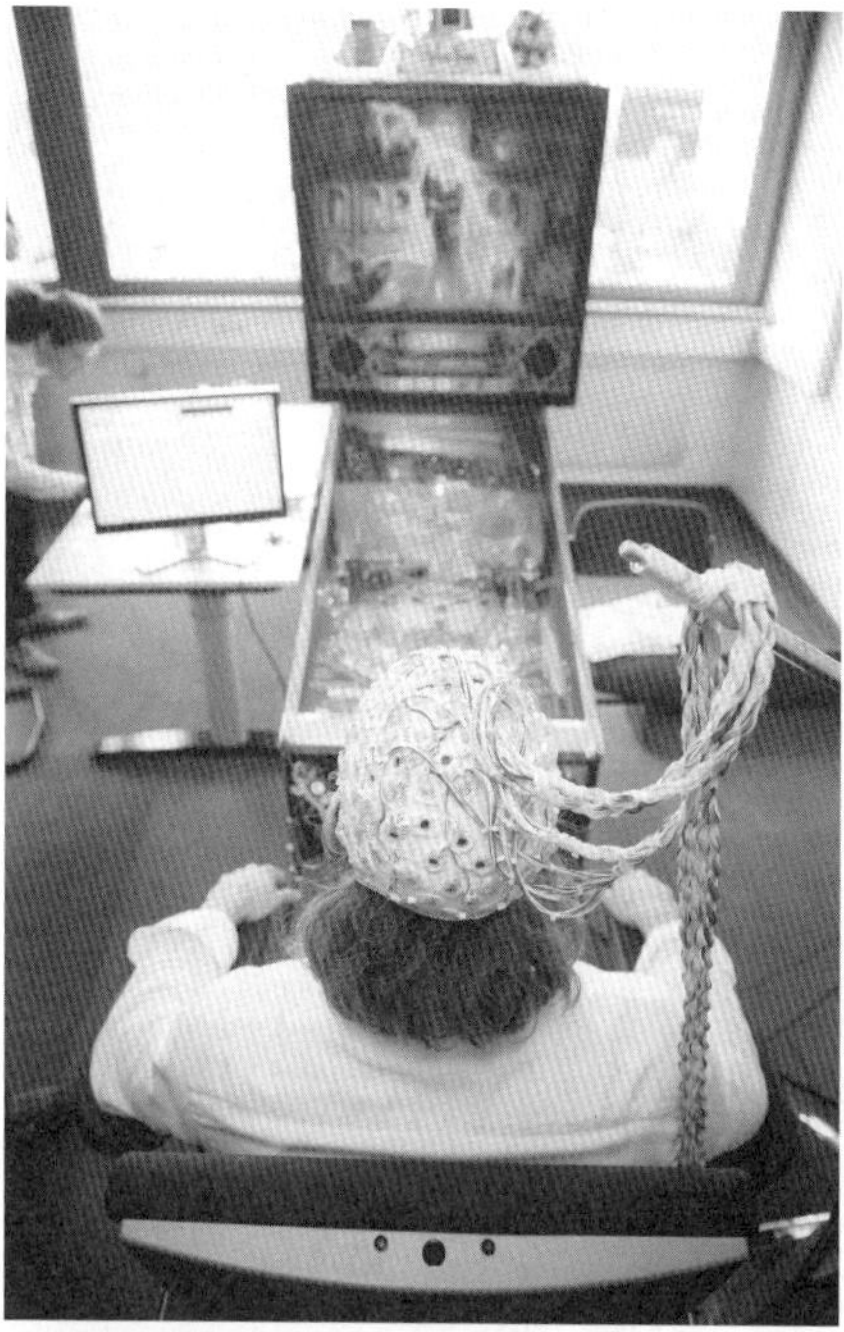

(上) サルを用いたBMI実験。脳からの信号を介して機械のアームを操作する。
©ZUMAPRESS/amanaimages
(下) 非侵襲的と呼ばれるBCI実験。
©Alamy Stock Photo/amanaimages

ＢＭＩ研究は、兵士の能力向上を目指すことだけが目的ではありません。凄惨な戦場体験からＰＴＳＤ（心的外傷後ストレス障害）を発症した兵士の脳に微弱な電流を流すことで、障害を起こす電気信号を統御するといった「治療目的」としても研究が進められています。さらに、ＢＭＩで義手や義足を生身の身体と同じように動かす機械や、脳波を検知するセンサーを用いたＢＣＩによって、一人の操縦士が複数の戦闘機を脳波で操作するといった技術までもが研究されており、もはや現実とＳＦの区別がつかなくなっているような状況です。

トランスヒューマニズムとポストヒューマン

科学技術などを駆使することで、人間の能力を強化する思想は「トランスヒューマニズム」と呼ばれています。先ほど説明したバイオハッキングも、トランスヒューマニズムの一形態です。トランスヒューマニズムでは、電子機器による改造のみならず、遺伝子操作や薬品による化学反応といったあらゆる手法を駆使して、人間の能力拡張を目指します。

生物科学やサイボーグ工学、そしてＡＩ技術の補強により、不死と至福を得た一握りの

「ホモ・デウス（神のヒト）」が、アルゴリズムを介して凡俗な人々を統治する——そうした未来を描いて話題となったのが、イスラエルの歴史学者ユヴァル・ノア・ハラリの『ホモ・デウス』（河出書房新社）でした。

ハラリが『ホモ・デウス』で示した人間の強化については、トランスヒューマニズムが志向する「トランス＝超越」の視点から二つの方向を語ることができます。一つは「身体強化」で、もう一つは「人間の認識能力の拡大」です。まずは一般的にイメージされている「身体強化」という思想について考えていきましょう。

身体強化の行き着く先にあるものとは何か。それは、現代人の感覚ではもはや人間とは呼べないような「ポストヒューマン（人間以後の新しい種）」の出現です。ポストヒューマンという言葉は様々な角度から定義されていますが、ここでのポストヒューマンは、ハラリの述べる「ホモ・デウス」のような、あくまでも身体強化の結果として生まれる「人間由来の種」として位置づけたいと思います。もちろん、ＡＩ（人工知能）やロボットが進化の末に人類を超越し、人間を制御あるいは統治するといった、人間由来ではない種をポストヒューマンとして議論する人たちもいます。

遺伝子操作にせよサイボーグ化にせよ、身体強化によって、人は自分の能力を高め、結果的に社会に強い影響を与えるようになるでしょう。私自身、有用な技術であれば利用し、自分たちの力を拡張すべきだと思いますが、先に述べたような社会的な問題は様々に存在します。そこで問われるのは、何のために拡張するのか、そしてその能力をどのように用いるか、ということです。

身体強化の先に待つもの

現在の身体強化に関する研究は、人間自体をより良いものに改変する方向で進められています。ゲノム編集により遺伝子を操作した「デザイナーベイビー」が、すでに中国で（中国の法律でも違法ではありますが）誕生しています。ゲノム編集は基本的に「治療」を目的としたものであっても厳しく制限されますが、今後の動向によってはその制限が緩和される可能性もあります。（疾病の予防といった）治療目的であっても、ゲノム、つまり遺伝子をいじることは、当事者である個人の生命に関わる重大な問題をはらむ一方、社会全体においても賛否が分かれるからです。

一方で、ゲノム編集には「強化」という視点もあります。簡単に言えば、ゲノム編集によって腕力などを通常以上の能力にするといったものです。ゲノム編集による治療と強化に関しては、今後さらに議論の活発化が予想されます。どういうことでしょうか。

一般的に、治療であればゲノム編集が比較的許容される一方、強化に関しては忌避感をもつ人が多くなります。しかし、治療と強化を区別するのは、簡単なことではありません。たとえば、視力が落ちたからメガネをかけたり、あるいは歯が折れたので差し歯を入れたりすることを「強化」と見なす人はおそらくほとんどいないと思われます。では、薄毛治療はどうでしょう。アンチエイジングや美容整形はどうなのか。

こうした治療とも強化とも判別できない問題に関しては、人によって意見が大きく分かれ、社会的な合意形成は困難になります。さらに、これから数十年も経てば人々の価値観が変化し、賛否のバランスも変わってくるでしょう。

ゲノム編集がよくも悪くも解禁されていくと、社会に何らかの混乱が生じることが予想されます。その意味で、ゲノム編集は倫理的な側面だけでなく、社会統治の観点からも議論が必要なのです。

かつては、外見上の美醜といった特徴はもちろん、先天性疾患や障害をもって生まれてくるかどうかは、すべて運、つまり確率の問題でしかありませんでした。誰もが現実を受け入れるしかなかったわけですが、近年のゲノム編集技術の進歩を見ると、それらは将来的に操作可能な対象となっていくのかもしれません。

ある意味、身体強化による人間拡張は、その動機が合目的的であるがゆえに、「偶然」というものが介在する余地をどんどん縮小しているともいえます。それを好機と捉えるか否か。今後、私たちが議論しなければならない重要な問題です。

世界と人間は接続可能か

次に人間拡張がもつもう一つの側面である「人間の認識能力の拡大」について、SF的な視野も含めて検討してみましょう。人間拡張の一つであった身体強化にとっての自己とは、あくまでも外界との境界線で隔てられた個体でした。ところが人間拡張にはもう一つ、こう言ってよければ、境界線を溶解させ、外界や他者との一体化を志向するという方向性があります。アニメ『新世紀エヴァンゲリオン』シリーズであれば「人類補完計画」を、

『機動戦士ガンダム』シリーズであれば「ニュータイプ」たちが戦闘のさなかに心を通わせる場面を思い浮かべれば、「外界（他者）と接続された自己」をイメージしやすいかもしれません。

とは言え、こうした外界との接続は人間同士だけでなく、自然環境といった、人間以外のものとの接続も考える必要があります。一般的に環境に配慮するといった場合、配慮する主体としての人間と、配慮される客体である自然環境は明確に隔てられています。ここでいう配慮とは、人類が繁栄し続けるために、環境資源を計画的に利用するといった意味でしかありません。

ところが、人間もまた環境の一部であるという思想に基づけば、そうした配慮に主体と客体の区別はなくなります。人間も環境も、どちらも自己保存が目的だとするならば、方向性そのものに違いはないからです。

そのような中で、むしろ人間を配慮の主体ではなく、環境と同等、場合によっては環境のほうをより重視するといった傾向も見られます。たとえば、昨今の環境に配慮した建築物や、それに応じた建物の高さ制限など、都市開発のあり方・考え方にも変化が訪れています。普段あまり意識することはないですが、最近の商業施設の建物は、バブル期の「コンクリートジャングル」に代表されるような、コンクリート一色のものばかりではありません。建物には緑が多く、木材が取り入れられているようなものもあります。

このような動きの根底にあるのは、これまでの人間中心的な「環境」設計からの脱却という点です。もっとも、昨今流行のSDGs（持続可能な開発目標）には、持続可能性をウリにしただけの、その意味で人間中心的な側面も見受けられます。環境よりも人間の生活、あるいは政治・経済的な思惑が重視されており、まだまだ課題が山積みだといえるでしょう。

過剰なつながりが過剰な対立を引き起こす

話を他者（人間）との接続に戻しましょう。他者との接続は、インターネットとSNSの発達により、かなりの部分がすでに実現していると捉えることもできます。では、そうした現代において、自他の分け隔てのない寛容な社会は実現できているでしょうか。おそらく、ほとんどの人は、そう感じていないはずです。日々、不寛容な言葉を投げつけ合っている姿を目にしていては、そのように思えないのも無理はありません。

確かに我々は、SNSでの相互フォローやリプライなどにより、ネット上で多くの人たちとつながるようになりました。しかし、だからといって私たちが真の意味で他者と接続しているわけではありません。検索エンジンのパーソナライゼーションをはじめ、私たちはネット上で見たいものだけを見ている状態、いわゆる「フィルターバブル」に直面しているからです。

昨今の新型コロナウイルスの感染が拡大した状況下においても、私たちの目の前には、真偽不明な情報が氾濫する一方、それらに過剰反応し、集団で人々を叩き続けるといった光景を、毎日のように目にしています。政治家もまた、自分たちを支持する人々だけを対象とする情報発信を繰り返しがちです。この数年間で生じたトランプ現象をみれば、つながることができない、あるいは過剰につながりすぎた、歪んだ状況が世界中に蔓延していることがわかります。この歪みはどこからくるのでしょうか。

たとえば犯罪社会学が専門のジョック・ヤングは、「過剰包摂（過食症社会）」という言葉を提唱しました。この言葉は、人々は格差をなかったことにし、誰もが社会に「包摂されている」と感じてしまい、それ故に隣人の苦しみに気づくことができない社会状況を指し示しています。

誰もが苦しさを感じる社会の中で、しかし一部の人は一般人からYouTuberとして大成功し、セレブの仲間入りをします。おまけにセレブたちとは、SNSで気軽にやりとりすることも可能です。

すると人々は、格差社会の中で不安を抱えながら、同時に一般人がセレブへと駆け上がる成功物語に影響を受けて、「一発逆転」を望みがちになります。そのような社会では、自らの苦しみに向き合うよりも、成功を夢見たり（インスタグラムには「素敵な生活」があふれています）、あるいは自分と同じような苦しい境遇にある人々と連帯するどころか、彼らをSNSで叩いたりするほうが、強者になった気がして楽になります。

インターネットの発達によって社会階級という境界線が表面上は消えたように見えても、実際はさらに進む格差の中で、過剰に社会に包摂されたと感じてしまう人々が、苦しんでいる人を叩いています。こうした「過剰包摂社会」の下で、社会的対立・亀裂がますます大きなものになってしまっているのです（一部の強権的な政治家に人気が集まるのも、それが理由だと思われます）。インターネットは人間の心理に負荷を与え、過剰なつながりと過剰な対立を同時に引き起こしているともいえるでしょう。

このように見ると、人と人とが過剰につながることはむしろ有害であるとも考えられます。だとすれば、人間の認識、他者とのつながりを増やすといった方面の拡張は、むしろ有害なのでしょうか。おそらく別のあり方もあるはずです。

その一つが、人間同士だけのつながりを超えた、「それ以外のもの」とのつながりです。それは後述する、「脱人間中心主義的」な方向だと思います。

万物のネットワーク化

身体強化型、あるいは認識能力の強化型である人間拡張、どちらも手放しで肯定できるものではないことを述べてきました。一方で、人や動物、環境のすべてがネットワーク化されるというアイデアは、人文・社会科学の領域でも近年注目されています。個人的に興味をもっているのが、フランスの人類学者・哲学者のブリュノ・ラトゥールを中心に提唱されている「アクターネットワーク理論（ANT：Actor-network-theory）」です。

ＡＮＴとは、人間や動物のみならず、あらゆるモノをアクター（行為者）として捉えるとともに、これらのアクター間のつながりの中で社会が作動するという考え方です。神のような超越的な外部がなく、あるいは人間を中心としない（脱人間中心主義的）この思想は、社会科学における新たな理論的・方法論的なアプローチの一つです。ＡＮＴは人文・社会科学から出てきたものですが、現在では組織論や教育学、会計学から建築学、さらに現代アートにまで広がる理論となっています。

従来の社会科学において、アクターは常に人間であったわけですが、ＡＮＴでは人間以外のモノもネットワークに参画するアクターとなるわけです。現在、家電から家具、雑貨のすべてにコンピュータが組み込まれ相互に接続される「ＩｏＴ（Internet of Things）」が実現されつつあります。

相互の情報交換を可能にするＩｏＴですが、この技術を主体的に使うのはあくまでも人間です。すでに述べてきたように、技術的な発展がなされるにせよ、それだけでは現在の私たちが置かれているような、社会的な分断はますます広がってしまう可能性が懸念されます。

それ故に、脱人間中心的なANTが、社会へどのように実装されていくのかについて、興味（あるいは希望）があります。ひょっとしたら過渡期の議論で終わる可能性もありますが、「幸福なポストヒューマニズム」という思想は、ANTという方向性以外からは出てこないかもしれません。

例としては、ややSF的なものになってしまいますが、コンピュータがいくつかの選択肢を提供したり、あるいは人間と会話をしたりする中で、人間の行為が、動物やモノを含めたあらゆるアクターにとっての「事情」が考慮されるものへと向けられる。これは、アクター間のコミュニケーションが促進された社会といえるでしょう。ANTによって接続された社会は、人間中心主義的な拡張の発想ではありません。また逆に、コンピュータ（アクター）が人間を指導するような、コンピュータによる管理社会でもありません。

繰り返して述べれば、こうした想定はまだまだ漠然としたアイデアにとどまっています。しかし、人間の「特権性」を高めるという方向に議論が行きがちの中、むしろそのような特権から抜け出すことこそが、私たちにとって幸福をもたらす可能性があると考えられるのです。それ故に、これまで主体と見なされていなかった、あるいは傍流・客体として見なされていた「アクター」を、もっと重視する必要があるのではないでしょうか（もちろんこれは、現在の社会的な不公正に関しても当てはまる主張です）。

ここまで見てきたように、「人間拡張」という思想の現在地は複雑に入り組んでおり、同じ人が正反対の立場を内包していることも少なくありません。だからこそ、どのアクターにも開かれた人間拡張の見取り図を、つねに更新していかなくてはならず、それを提供することが情報社会学を研究する者の責務だと感じています。

構成・文＝柳瀬 徹

ドミニク・チェン

早稲田大学文化構想学部准教授

感覚を「翻訳」するということ

ドミニク・チェン　早稲田大学文化構想学部准教授。一九八一年、東京都生まれ、フランス国籍。カリフォルニア大学ロサンゼルス校卒業、東京大学大学院学際情報学府博士課程修了。博士（学際情報学）。NTT InterCommunication Center［ICC］研究員、株式会社ディヴィデュアル共同創業者を経て現職。一貫してテクノロジーと人間の関係性を研究している。著書に『コモンズとしての日本近代文学』（イースト・プレス）、『未来をつくる言葉　わかりあえなさをつなぐために』（新潮社）、松岡正剛との共著に『謎床―思考が発酵する編集術』（晶文社）、監訳にサンダー・キャッツ著『メタファーとしての発酵』（オライリー・ジャパン）など。

「言葉」だけでなく「感覚」や「感情」「思考過程」といった微妙かつ繊細なメッセージまで翻訳して伝えることができれば、コミュニケーションの可能性が拓けるのではないか。分断の時代と言われるいま、互いに「わかりあえなさ」を受け止めながらつながりあい、多様な人が共にある場所をつくることは可能だろうか？　テクノロジーと人間の関係性を研究するドミニク・チェンにコミュニケーション能力拡張の可能性と課題について聞いた。

僕は長年、情報技術とコミュニケーションの関係を研究しています。研究者というのは、基本的に自分にとってうまくいかないものを研究しがちなんですね。僕にとってコミュニケーションとは、突き詰めれば突き詰めるほどこぼれ落ちていくもので、なんだかよくわからない。だからこそ、ずっと興味が尽きないのかなと思っています。

その原点は自分の幼少期にもあると最近は感じるようになりました。というのも、僕の母は日本人なのですが、父が台湾人とベトナム人のミックスで、なおかつ七カ国語を喋るマルチリンガルだったんですね。そんな父がかつて東京の在日フランス大使館で働いていたとき、外交官試験を受けるならフランスへ帰化しないかと誘われ、一度もフランスに行ったことがないのにフランス国籍を取得したんです。その後に兄と僕が生まれ、僕は東京生まれ東京育ちですが、国籍はフランスで、都内のフランス人学校に通うという幼少期を過ごしました。

そのフランス人学校というのが、いわばインターナショナルスクールのような側面があって、およそ五〇カ国以上の子どもたちが集まる環境だったんです。僕のようにどちらかの親が日本人の子もいれば、アフリカ、中東、南米などの子たちもいて、学校では多種多様な言語が飛び交っていました。そして家に帰ると、父が電話越しに中国語やベトナム語や英語で話していたりする。そんな環境だったので、常に多様な言語を耳にするのが日常でした。

完璧なコミュニケーションは存在しない

いま振り返ると、ひとつの言語でコミュニケーションが完全に成立するとはまったく思っていない人たちの集まりのなかにいたんですよね。フランス人学校の子どもたちも、公用語はフランス語ですが、日本語もある種の公用語であり、どちらも絶対的な言語ではないという感覚を共有していたと思います。フランス語で伝わらなかったら日本語で補足してもいいし、その逆も然《しか》りで。どれも正解はないし、どの言語で話してもいいと思える環境がありました。

さらに言うと僕の場合は吃音《きつおん》があったので、「言葉が喉まで出かかっているのに出てこない」という状況がデフォルト（標準的な状態）だったんです。最近までそれは吃音保持者に特有の現象だと思っていたのですが、娘が国内のフランス人学校に通い始めたときに考えが変わりました。彼女がフランス語という新しい言語を覚え始めていたとき、うまく言葉にできずにもじもじしている様子を見て、これもある種の吃音なんだと思えたんです。そこから気付きを得て、どんな人でもある種の吃音状態になることはありえるのだと感じるようになりました。言葉になる前から言葉の原型のようなものは個々人のなかにすでに存在していて、それがどう表出されるかは関係ない。人はどんなツールを使っても、一〇〇パーセント自分の考えを伝えられる表現などはないと考えるにいたった背景はそこにあります。

生命感が浮かび上がるテクノロジー

そうした不確定な言語やコミュニケーションというものに着目したとき、「コミュニケーションとは○○である」などと定義することは最初から考えていないのですが、「これはコミュニケーションではない」と思えるものが何かはわかってきました。それは誰かに指示をするとか命令をするというようなことで、言い換えれば通信の一種です。通信は機械同士でも可能であり、人に対してその通信が向けられた場合、あるゴールに向かって相手を機械的に扱うという状況も示唆しています。

対話や会話というものはそうではなく、結果を予測できないことが大事で、いわばボールを打ち返し合っていくような行為だと思うんですよね。自分の表現に対して、相手から思ってもみなかったような表現が返ってくる、または相手の放った一言が、良くも悪くも心のなかに残り続けることって誰にでも覚えがあると思います。逆に相手の思考や発想を受け取って、自分のなかからまた新たな言葉や思考が生まれることもある。新しい情報を生み出し合う連鎖的な応答が、コミュニケーションにおいて大事なことだと考えるようになりました。

一方で、いま僕たちは常に何らかの通信機械を使ってコミュニケーションしていますよね。そこでは人間がテクノロジーの性質に引き寄せられていく側面も必ずあります。みんなが使っているものだからと歩調を合わせると、過剰なコミュニケーションが生まれて疲弊したり、精神の失調が出てしまったりすることが、いま実際に起きています。人間のふるまいや世界の認識の仕方において、テクノロジーは強い影響力を持っていて、人間は簡単に機械化されていくし、逆にもっと生命的にもふるまうこともできます。その仕組みや構造を適切に理解することが自分の研究活動の根底にあります。

アーティストの遠藤拓己と共にアート作品としてスタートし、後に研究にも活用した『TypeTrace（タイプトレース）』は、テクノロジーを介して人の身体的な痕跡を残せないかと考えたプロジェクトです。普段、僕たちがSNSやメールで連絡を取り合うとき、そこで受け取るテキストはすべて相手がタイピングした結果を読んでいるわけですが、それまでには多くのプロセスが存在していますよね。書き直したり、削除したり、あるいは勢いに任せて書いてしまったり。そうした試行錯誤も含めたタイピングのプロセスを可視化したものが『TypeTrace』です。具体的には、一度書いたテキストを削除して書き直したり、次のテキストを打ち込むまでに時間がかかったりという状況が画面上で可視化されます。その逡巡《しゅんじゅん》はとても人間的な行為で、機械にはできない痕跡です。

二〇〇七年には、小説家の舞城王太郎《まいじょうおうたろう》さんに依頼し、小説を執筆するあいだのプロセスをすべて記録させてもらい、その様子を展示作品として発表しました。小説こそあらゆる推敲《すいこう》を重ねて生まれるテキストですから、その中身を見せるという点でとても興味深い試みになりました。展示期間中は足繁く会場に通ってくれるファンの方もいて、「画面越しにも小説家の気配や息遣いを感じる」と話してくれた人もいました。作品自体は過去の記録だとわかっていても、一種の生命感が浮かび上がるというか、まるでその人が自分に語りかけているように感じてしまうという効果があったようです。

コミュニケーションの不完全さを楽しむ

さらに『TypeTrace』の仕組みをテキストチャットなどに活かして、実際のコミュニケーションにどんな変化があるかを見る研究もしています。興味深いことに、お互いの入力している様子がリアルタイムに可視化されると、応答する際の情報の質が変化するんです。

相手の息遣いやためらいのようなものが見えてきて、まるで電話で話しているような感覚になる。相手がいま書こうとしていることを推測するようになるので、いつも以上に「なるほど」などの相槌が増えたり、相手に対する好感度が向上したりすることもわかりました。

コロナ禍以降はリモートコミュニケーションが広がりましたが、オンラインだとそこまで話が盛り上がらないとか雑談がしにくいといった課題が見えてきて、まだまだテクノロジーには足りていない部分があると誰もが気付いたように思います。では、何が足りていないのでしょうか。これまで情報技術は、テレビの生中継や遠隔通信に始まり、臨場感を増すためのバーチャルリアリティなど、とにかく解像度を高めていくことに邁進《まいしん》し続けてきました。そのベクトルは数十年前から変わらず、産業的にも研究開発的にもすごく発展してきて、いまでは現実と見紛《みまが》うような高精細な映像をVRで見せることも可能になりましたよね。一方で、そうした技術と接する側の人間の想像力が作用する余地が実は減ってしまっているとも思うんです。

僕は別に高解像度化していく技術を否定するつもりはないのですが、先述したような僕の考えるコミュニケーションのあり方とは前提が異なると思っています。つまり、情報量を増やせば相手とわかり合える要素が増えると考えるか、そもそもコミュニケーションとは不完全なものだと捉えるかという二方向があるとすると、僕の場合は後者で、不足を補うために情報技術を使うというよりは、不完全なやり取りを互いに楽しめるような技術の使い方があると思うんです。

相手が言ったことの裏側に、もっと別の意味の広がりがあったかもしれないし、こちらの解釈によってもまた異なる意味が生まれていきます。互いに持つイメージが常に同一であるなんてことはありえないはずで、そこに違いがあるからこそ、僕たちは凝り固まった思考にとらわれずにいられるし、自分の世界の見方を広げることもできます。その根底にたゆたっているのは、人が他者に向けて働かせる想像力ですよね。『TypeTrace』のような仕組みを使って、人の想像力を喚起する情報技術とは何かを考え続けています。

異質なものへの好奇心を

昨今はネット空間での炎上が相次いでいますが、ツイッターなどは載せられる文字数が少なすぎるので文脈が分断されてしまうことが大きな原因だと思うんですね。例えば『TypeTrace』でツイートするプロセスを再生できたら、異なる文脈を伝えることができるかもしれませんが、それで炎上がなくなるかというとまた別の問題な気がします。

ただ僕自身は十代の頃、テクノロジーにとても救われた人間で、対面で話さなければいけないという強迫観念から解放してくれたのがインターネット上のコミュニケーションでした。

とはいえ、テクノロジーによって自分自身や自分の本質が「拡張」したかというと少し違う気もします。実際に吃音は治っていないし、オンライン化が進んだいまでは対面でのコミュニケーションの面白さのほうにさらなる興味が湧いています。情報技術は拡張を促すものというより、その道具によって知識や世界との接し方の選択肢が増えるものという感じがします。拡張という言葉には、アプリをインストールしたり機械を改造したりといったように、一回何かを入れると元の状態から底上げされるようなイメージがありますよね。けれど人間はもっと有機的で、特にコミュニケーションは常に相手や状況によって変化し続けるものだと思っています。

これまでの資本主義に則ったテクノロジー市場は、最速でサービス開発を進めて、多くのユーザーを獲得し、人間をある種の中毒状態にさせるためにさまざまな工夫を凝らしてきました。ようやくいくつか規制をかけようとする動きが始まっていますが、企業はどんどん巨大化し、成長を続けるという経済原理はまだ根強く働いています。その状態のままでは、時間のかかるコミュニケーションや不便さのなかでお互いのことを想像し合う経験などが、情報空間のなかで駆逐されていってしまう。

さらにもっと危険なのは、世界中の人が同じスマホで同じアプリを使ううちに、それぞれがもともと内包していた多様性が失われ、みんなが似たりよったりになってしまうことです。全世界の人が英語でしか喋らなくなったら、各言語が持つ細かなニュアンスや文化が失われていくことは容易に想像できますよね。その言語のニュアンスとは表現上の違いだけではなく、その言語圏の人々が世界をどう見ているかといった認識論にも関わる根源的な部分ですし、共通のプラットフォーム上で表現の均質化が進むことには危機感を持っています。

これはグローバリゼーションの問題とも大きく関わる部分です。クロード・レヴィ＝ストロースという人類学者は著書『悲しき熱帯』において、人類はそれぞれ違いがあることを幸福だと認識すべきだということを言っていますが、同時に「異なる文化同士が過剰につながりすぎることも警戒する必要がある」とも訴えています。大きな生き物が小さな生き物を食べて自分に同化させていくように、文化のなかでも同様のことが起きています。情報技術が今後もより便利で速いものだけが求められていくと、その結果、便利であっても文化的に非常に貧しい世界に行き着くかもしれない。それはまさにディストピアな未来ですし、そうした深刻な状況への想像力を持つことは、現代では特に必要な考えのように思っています。

また別の視点では、グローバリゼーションの反動として国家主義や孤立主義も渦巻いています。ヘイトスピーチなどに見られる共通点は、「あの国の人間は○○だ」と断定する傾向があることですよね。それは好奇心の欠如によるものだと僕は思っていて、少なからず他者への好奇心がある限り、そうした発想にはならないのではないでしょうか。異質なもの、未知のものに対する好奇心や想像力は、差異を差異としてつなぐ接着剤のような役割を果たしてくれます。好奇心を持って自分とは異質な人と付き合っていくうちに、だんだんと自分も影響を受けるようになりますが、それは単純な同化とは異なり、ある種の文化的な混血が生み出されていくと思うんです。

経済的な、あるいは政治的、軍事的な植民地主義の問題もあるし、テクノロジーによる植民地主義も跋扈《ばっこ》するなかで、異質さへの好奇心を持ち続けることは、新しい文化を育む起点にもなると思います。

微生物への想像力を育む

今日お話ししてきたような異文化への好奇心やコミュニケーションにおける不完全さをテーマに、二〇二〇年秋から今年六月にかけて、21_21 DESIGN SIGHTで『トランスレーションズ展—「わかりあえなさ」をわかりあおう』という展覧会のディレクターを務めました。そこではさまざまな国の言語の多様性や言葉以外の方法で伝え合おうとする試みを紹介していたのですが、「異種とむきあう」というコーナーではコミュニケーションの対象を人以外の生物にまで広げています。例えば出品作のひとつで、僕自身が研究開発に携わる『ヌカボット』は、ぬか床のなかで暮らす微生物と会話を試みるプロジェクトです。

展示中は樽のなかでぬか床を培養し、付属したセンサーで温度や湿度などから微生物の状態を計測していました。来場者が「おーい、ヌカボット！」と声をかけると、「ちょっと温度が高いよ」とか「そろそろかき混ぜて」などとぬか床の状態に応じて音声で返事をしてくれます（笑）。

これはもう「わかりあえなさ」の極致とも言えますが、本当に微生物の気持ちがわかることを目指しているのではなく、人間が微生物のことを*より理解する*ようになるためのツールのひとつだと捉えています。完全に感情を持たない相手とコミュニケーションをしようとする行為は、ある意味でAIと向き合うことにも構造的には似ていますが、大きく違うのは微生物が生命体であることと、なおかつ人間の体内には一〇〇兆を超える数の微生物が存在しているので、真の意味で人と共生している存在でもあるということです。

数値的に菌の量を計測することはいくらでもできますが、その行為はあくまで人間が観察者でしかなく、観察対象と自分を切り離した世界の見方に留まってしまいます。それはこれまでの近代科学が築いた、「人間」とこの世界の「観察対象」をふたつに分けるという発想が前提にあり、いまその考え自体がある種の限界にあるという議論も多くなされて

『ヌカボット』
ぬか床の微生物の状態をセンサーで読み取り、スピーカーを通して発酵状態や混ぜるタイミングを教えてくれる。
Ferment Media Research, 2019-2021

います。

『ヌカボット』を自宅に置いていた時期もあるのですが、毎日おいしいぬか漬けを食べながら微生物のことを考える生活をしていくうちに、自分のなかで微生物という存在の占める位置がとても大きくなっていくのを感じました。そうすると『ヌカボット』や他のテクノロジーを使わなくても、微生物に対する感度が次第に変わってきます。毎日、菌と向き合っている日本酒の杜氏《とうじ》の方々と話をすると、彼らは機械が太刀打ちできないような強固な関係性をすでに築いているんですよね。彼らのプロフェッショナリズムは、自身が暮らす環境そのものとコミュニケーションしながら仕事をしていることにあり、僕からしてみれば彼らこそ身体拡張を遂げた人々なんです。

僕が『ヌカボット』をつくっているのは、ある意味で彼らのような身体感覚に僕たち素人でも近付けるための養成ギプスみたいなもので、テクノロジーやツールを通して自分自身が成長していきたいと思っているからなんです。逆に言えば、どれだけ精度の高いテクノロジーが登場したとしても、自動的に人が拡張されるとは考えていないとも言えます。情報技術も自分が変化するためのガイドやパートナーと捉えて付き合っていきたいと思うんです。

「発酵」の視点で世界を捉える

これまでぬか床の微生物の話をしてきましたが、僕は自身の大学の研究室にも「発酵」というメタファーを取り入れ、二〇二一年からゼミを「発酵メディア研究ゼミ」と名付けました。学生たちは混乱しつつも面白がってくれていますね。「発酵」とは食文化のひとつですが、一方で菌が時間をかけて育っていく環境と向き合うことは、人間が長期的な時間スケールのなかで何を見出すかという問いにもつながってきます。

「発酵メディア」はとりわけテクノロジーを起点に考える必要もありません。僕自身は古い文化にも興味があって能楽師の安田登さんのもとで能楽の稽古を四～五年前から続けていますが、能の謡《うたい》を学ぶだけで、芋づる式にさらに多くの文化や知恵と出合うことができます。

そうした異質な存在は幸いにも世の中にあふれているので、その異質さの数だけ人間は変容できる可能性があります。特に長い時間をかけないと見えてこない変化のほうに注目したいと考えているんです。
　学生たちとも、これからの情報技術と付き合うなかで、未来に絶望せず、好奇心を持って異質さと向き合う楽しみ方を一緒につくっていきたいと思っています。情報技術はようやく成熟期に突入して、いまは過渡期としてあらゆる問題があふれていますが、現代はSNSの状況を見てもすでにディストピアだと思うんですよね。けれど最近は、若い世代が環境問題や資本主義のオルタナティブ（代替案）に対して当事者として向き合い始めていることには大きな希望を抱いています。どれだけディストピア的な現状があったとしても、例えば研究という活動を通していまとは別のありようの世界を想像したり、その意味を追求することができると若い人々に伝えられたらいいなと思っています。

構成・文＝塚田有那

吉川浩満

文筆家

人間拡張——進化の相の下に

よしかわ ひろみつ　文筆家、編集者。一九七二年、鳥取県生まれ。慶應義塾大学総合政策学部卒業。国書刊行会、ヤフーを経て、現職。著書に『理不尽な進化　増補新版』（ちくま文庫）、『人間の解剖はサルの解剖のための鍵である』（河出書房新社）など。

工学的な人間拡張にもとづいた社会環境が、人類の進化に影響を及ぼす可能性があるという。進化論では、環境によって獲得した形質は遺伝しないはずだが、これは一体どういうことなのだろうか？　現代の名著といわれる『理不尽な進化』の著者・吉川浩満が人類の進化の今と未来について論じる。

人間が道具を発明したという古い考えかたは、誤解を招きやすい一面的な真理で、むしろ道具が人間を発明したのだ、というほうが正確であろう。

——アーサー・C・クラーク[*1]

人間拡張とは、人間の能力を増強・拡張させるテクノロジーを指す。「拡張」はこれまでいくつかの英語（enhance, augment, extension）によって表現されてきた。本稿ではこれらすべてをひっくるめて「拡張」と呼ぶ。

以上のように人間拡張を広くとらえれば、その歴史はおそらく人類の歴史と同じくらい古い。狩猟・採集のために用いられた石器や、コミュニケーションのために用いられた楽器なども、人間拡張の原初的な例といえるだろう。それどころか、広く生物の歴史を眺めてみれば、「拡張」の営みは人間などよりずっと古いということもできる。

延長された表現型

『利己的な遺伝子』で名高い進化生物学者のリチャード・ドーキンスは、一九八二年、「延長された表現型」という概念を提唱した。[*2] 表現型とは、遺伝子に規定されて生物の体や心に発現する形質を指す。ドーキンスは、この表現型は生物の体の外にまで延長されると論じたのである。

アリは蟻塚《ありづか》をつくり、ビーバーは川を堰《せ》き止めてダムをつくる。これらの蟻塚やダムは彼らの遺伝子の「延長された表現型」である。

また、そうして構築された環境は、当の生物の進化——個体群内の遺伝子頻度の変化——にも影響を及ぼしていく。人間の活動についても同様である。たとえば、われわれのつくるさまざまな道具や家屋、都市といったものも、延長された表現型に該当する。かたちのあるものだけではない。ドーキンスのアイデア自体が延長された表現型だし、いまあなたが手にしているこの本、読んでいるこの文章もまた、延長された表現型である。

本稿の主題である人間拡張は、生物が太古から有する「延長された表現型」の人間版、それもごく最近の展開だということができる。ある程度複雑な生物は、そもそも自身を延長／拡張するものである。そしてそれは人間も例外ではない。それどころか、これから見るように、人間の拡張技術はとてつもない実績と可能性を秘めているのである。

人間拡張の諸相

では、現在の人間拡張は、われわれの能力をどのように拡張しようとしているのだろうか。図は、ソニーと東京大学が二〇一七年から二〇二〇年に実施した「ヒューマンオーグメンテーション学寄付講座（ソニー寄付講座）」が提示した「人間拡張の4要素」である。

図の上方向にあるのは身体能力の拡張である。これはもっともわかりやすい領域であろう。外骨格のように構造的に身体能力を増強するものや、義手・義足のように身体機能を補綴《ほてつ》するもの、さらには電気刺激によって筋肉を駆動するものなどがある。義手・義足はもとより、力仕事のサポートを行うパワーアシストスーツなどはすでに実用化もされてい

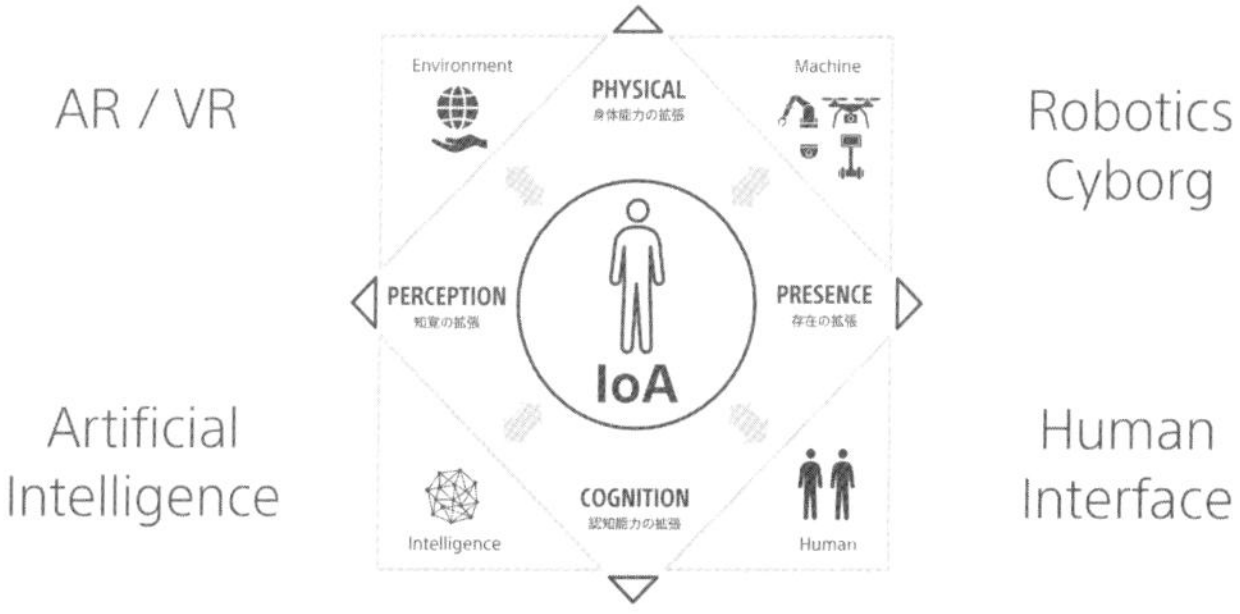

人間拡張の４要素

ソニーのテレプレゼンスシステム「窓」

る。

左方向にあるのは知覚の拡張である。これも想像しやすいだろう。視覚や聴覚といったわれわれの知覚は、古くから眼鏡や顕微鏡、補聴器や聴診器などによって増強されてきた。触覚に関しては、最近のスマートフォンやゲーム機などに装備されているハプティクス（触覚）技術を経験したことのある人も多いだろう。また、視覚障害者のために視覚情報を皮膚感覚などに置き換える感覚置換や、その感覚を他人に伝送することなども試みられている。

下方向にあるのは認知能力の拡張である。これは、理解・判断・論理といったわれわれの知的機能を拡張するものである。数年来ブームとなっている人工知能関連技術はこれを未知の領域へと強力に推し進めつつあるが、そうでなくとも、古くは算盤《そろばん》や計算尺、そして各種のコンピュータによって、われわれの認知能力は着々と拡張されてきた。

右方向にあるのは存在の拡張である。たとえば、離れた場所においても現場にいるような臨場感や存在感を提供することで、遠隔地での共同作業を可能にするテレプレゼンス技術がある。存在の拡張というと突飛に感じる向きもあるかもしれないが、特定の時と場所に局在せざるをえない存在の限界を取り払う技術と考えれば、存在（プレゼンス）もまた拡張の対象になる。コロナ禍以降すっかりおなじみになったリモート会議システムなどはその簡易版である。

以上のように、「ヒューマンオーグメンテーション」が示す人間拡張は、身体能力、知覚、認知能力、存在という四つの側面から人間を拡張する試みである。

人間の身体を劇的に増強させる『アイアンマン』や『バットマン』のパワードスーツ、人間が搭乗して操縦する『機動戦士ガンダム』や『パシフィック・リム』のロボット、カメレオンのように身体の存在をカモフラージュする『攻殻機動隊』の光学迷彩など、これまでフィクションでしかお目にかかれなかったテクノロジーの研究開発が進んでいる。

ここで、次のような疑問が生じるかもしれない。先に紹介した諸技術は、おもに工学的なテクノロジーによる人間の拡張であり、人間を生物学的に、たとえば遺伝的に改変する技術ではない。個体をいくら増強・拡張しても、そうした「獲得形質」は遺伝しないというのが定説である。だから「進化の相の下で」人間拡張を論じる本稿で取り上げるのはおかしいのではないか？　と。

冒頭で紹介した「延長された表現型」の観点からすれば、工学的な人間拡張とそれにもとづいた社会環境の構築は、未来の人類進化に影響を及ぼす可能性が十分にある。ローテクによる過去の事例として、たとえば、ミルクに含まれるラクトース（乳糖）を消化する能力の獲得がある。哺乳類は通常、離乳後にラクトースを分解する能力を失ってしまう。しかし人類は牧畜の技術と文化の発明によって、ラクトースを分解する遺伝子の変異をもつ者の割合が高まる方向へと進化してきたようなのだ。これは、われわれが技術や文化によって一瞬（この場合には数千年）のうちに進化しうることを示している。[*4]

このように、生物の進化は技術や文化によっても駆動されうる。ゲノム解析を用いた研究によると、自然選択の影響を受けたのはほぼ確実で、しかも文化がきっかけとなって生じた可能性のある遺伝子が、すでに一〇〇個以上同定されているとのことだ。[*5] こうした見方は、遺伝子－文化共進化説、二重相続理論、あるいは二重継承理論などと呼ばれ、近年の進化学においても有力視されている。

ちなみに、人間拡張には、遺伝的変化を直接的にもたらすテクノロジーもすでに存在する。もちろん、ゲノム編集技術である。

二〇二〇年にノーベル化学賞を受賞したジェニファー・ダウドナとエマニュエル・シャルパンティエが開発したCRISPR-Cas9は、画期的なゲノム編集技術として急速に普及した。[*6] そして二〇一八年一一月、中国の研究者が独自の判断で生殖細胞である受精卵にゲノム編集をし、ゲノム編集ベビーを誕生させたのである。[*7] 編集対象が体細胞のゲノムであれば、その結果が次世代に伝わることはない。だが、生殖細胞に編集をほどこせば、その結果は子孫にも遺伝する。そのニュースはまたたく間に世界を駆けめぐり、激しい論議を引き起こしたが、こうした遺伝子の改変による人間拡張は、ゲノム編集技術が実現するはるか以前より、「ヒューマン・エンハンスメント」の問題としてその是非が論じられてきた歴史がある。[*8]

自然な不自然と不自然な自然

以上のような人間拡張のテクノロジーを目の前にして、どのような感想をお持ちになるだろうか。未来への期待に血湧き肉躍る人ばかりではないだろう。嫌悪や恐怖を感じる人も少なくないのではないだろうか。

見慣れぬ新しいテクノロジーを目の当たりにしたとき、それがあまりにも不自然に見えて、反射的な嫌悪や恐怖を感じることがあるのは、ある意味で自然な反応である。それがわれわれ自身を決定的に変えてしまうかもしれない技術——まさに人間拡張はそれに当たる——であれば、なおさらそうである。

だが、そんなときには逆のことを考えてみる必要もあるだろう。現在のわれわれが享受している技術や文化、すでにあまりに馴染みが深いために自然なものとしか感じられないさまざまな技術や文化も、もとはといえば、われわれ自身の自然的な限界を超えるための工夫として、いうなれば不自然に開発・維持されてきたものであるということを。「延長された表現型」のアイデアはそのことを教えてくれる。

もちろん、すべてのテクノロジーを無批判に受け容れるべきだということではない。なかには不完全なもの、不十分なもの、さらには危険なものもあるだろう。人間拡張の軍事利用や野放図なゲノム編集など、現代社会の倫理観や規範意識に抵触するような行為もすでに実行可能になっているというのが現状である。

人間拡張の時代においても、神学者のラインホールド・ニーバーの「平静の祈り」は依然として有効であるかもしれない。

神よ、変えることのできない事柄については冷静に受け入れる恵みを、変えるべき事柄については変える勇気を、そして、それら二つを見分ける知恵をわれらに与えたまえ。

——ラインホールド・ニーバー

＊1　アーサー・C・クラーク『未来のプロフィル』福島正実、川村哲郎訳、ハヤカワ文庫NF、一九八〇、三五六頁

＊2　リチャード・ドーキンス『延長された表現型——自然淘汰の単位としての遺伝子』日高敏隆、遠藤彰、遠藤知二訳、紀伊國屋書店、一九八七

＊3　暦本純一監修『オーグメンテッド・ヒューマン——AIと人体科学の融合による人機一体、究極のIFが創る未来』エヌ・ティー・エス、二〇一八、七頁

＊4　ジョセフ・ヘンリック『文化がヒトを進化させた——人類の繁栄と〈文化-遺伝子革命〉』今西康子訳、白揚社、二〇一九、一三六-一四一頁

＊5　同右、一四一頁
＊6　ジェニファー・ダウドナ、サミュエル・スターンバーグ『CRISPRクリスパー　究極の遺伝子編集技術の発見』櫻井祐子訳、文藝春秋、二〇一七
＊7　粥川準二「ゲノム編集ベビー『いずれ容認』への一歩か？」『論座』朝日新聞社、二〇一八年一二月一三日 https://webronza.asahi.com/science/articles/2018121200002.html
＊8　生命環境倫理ドイツ情報センター『エンハンスメント――バイオテクノロジーによる人間改造と倫理』松田純、小椋宗一郎訳、知泉書館、二〇〇七
上田昌文、渡部麻衣子編『エンハンスメント論争――身体・精神の増強と先端科学技術』社会評論社、二〇〇八
Julian Savulescu and Nick Bostrom ed., Human Enhancement, Oxford University Press, 2009
＊9　ラインホールド・ニーバー『義と憐れみ――祈りと説教』新教出版社、一九七五、扉奥

さやわか
エッセイスト

『攻殻機動隊』は未来を創ることができるか

さやわか　エッセイスト。一九七四年、北海道生まれ。ゲーム、アニメ、音楽、舞踏など多岐にわたる題材の物語性になぞらえた評論を手掛ける。近著に『世界を物語として生きるために』（青土社）がある。

一九八九年にはじめて雑誌掲載された『攻殻機動隊』。そこに描かれた未来は新たな人間の在り方を提示し、人々を熱狂させた。三〇年余りがたったいま、その未来はどこまで現実と寄り添っているのだろうか？　現在を始点に『攻殻機動隊』を再訪したとき、創られるべき未来がどんな形をしているのかを考える。

一九六八年の動乱に象徴される、世界同時多発的な「怒れる若者」の反体制・反権威・反戦運動は、米国でヒッピーと呼ばれる進歩的な生き方を求める若者たちを生み出した。既存の社会規範からの解放と、新たな人間性と社会の実現を目指す彼らの思想の根幹にあったのは、ひとことで言えば主体性と自主性である。ヒッピーたちは、数多くの道具と、それらの使い方が詳細に記された雑誌『ホール・アース・カタログ』を手にして、畑を耕したり、飲み水を確保したり、家を建てるなど、「自分のことは自分でやる」「自分の活動領域を自ら拡張する」ことを美徳とした。

ヒッピーは、そのアティテュードの違いによって、大きく二派に分類しうる。一方には、テクノロジーを否定して、自然環境と直接対峙して自らの活動領域を広げることを求める者たちがいる。そしてもう一方にいるのは、テクノロジーを積極的に援用することで、人間の機能を拡張しようとする者たちである。

ここで重要なのは、後者に属する者たちだ。テクノロジーを好む彼らは、やがて情報技術に親しむようになった。本来「ハッカー」「ハッキング」という言葉には、創意工夫によってテクノロジーに新たな使い道をもたらすという含意があるが、それも本を正せば、この文化がヒッピーのＤＩＹ精神にルーツを持つせいである。また『ホール・アース・カタログ』に感化された若者の中にはスティーブ・ジョブズやビル・ゲイツなど、のちにシリコンバレーの立役者となる人物も存在した。彼らがのちにコンピュータのオペレーティングシステムやスマートフォンなどを生み出したのも、根底に「人間の能力を拡張する」という思想があってのことである。

人間が、テクノロジーの援用によって能力を拡張される。この発想にこだわる『ホール・アース・カタログ』は、最初期から、機械と人間を共通する考え方でとらえて管理・運用する、数学者ノーバート・ウィーナーのサイバネティックス理論を重視していた。そしてこの理論が、解釈を微妙に変えられつつ大衆文化に広く受容された結果、ポップカルチャーにおける「サイバーパンクSF」というサブジャンルが生まれることになる。平たく言えば、サイバネティックス理論が持つ「人間と機械が、システム的に統合して動作する」というイメージが、人間の身体や精神を機械的なものとしてとらえ、機械そのものと融合するフィクションのアイデアへとつながっていったのだ。

ポップカルチャーの領域で「サイバーパンク」という言葉に抱かれるイメージは、大きく分けてふたつある。ひとつは、人類が自らの意識をデータ化し、コンピュータやネットワーク内部の世界へと転移する、いわゆる「サイバースペース」にまつわるもの。もうひとつは、人間の身体が機械化され、能力や作業領域が拡張されたり、人間とロボットの境目がなくなっていく、いわゆる「サイボーグ」にまつわるものだ。

前者のイメージは、一九八二年、アメリカのSF作家ウィリアム・ギブスンが心理学者ティモシー・リアリーから影響を受けて書いた小説『クローム襲撃』によって生み出された。また後者については、ギブスンと並び称されるサイバーパンクSFの大家、ブルース・スターリングの作品がよく知られている。いずれにしても、ヒッピー文化の根底にあった「人間の能力を拡張する」という思想が、なお基調にあったと言えるだろう。

士郎正宗が描いた「拡張」

ところで、日本が生み出したサイバーパンクSFの歴史的傑作である士郎正宗の漫画『攻殻機動隊』は、主に前者、すなわちギブスン的なサイバースペースに主眼を置いた作品として語られることが多い。

たしかに、主人公・草薙素子《くさなぎもとこ》は単行本第一巻の結末で、高度な知性を持ったAI「人形使い」との融合を果たし、事実上サイバースペースに生きる存在となってしまう。最終ページで彼女が呟く「ネットは広大だわ……」という有名な台詞も、サイバースペースこそが同作の主題であると強調するかのようだ。この第一巻の結末を受けて、第二巻でも「いかにもサイバーパンク」といった様相の、サイバースペースでのハッキング戦が大々的に繰り広げられる。

ただ実のところ、『攻殻機動隊』がそうしたサイバースペースがらみのエピソードに満ちたサイバーパンク作品なのだと思って読むと、肩すかしを食らった気分になるはずだ。なぜならサイバースペースを扱った部分は、実は同作の一部に過ぎず、物語全体を通して語られるものとは言えないからである。アニメ化や映画化の原作として参照されるのも、サイバースペース戦が描かれる第二巻でなく、第一巻である。そこで読者を楽しませてくれるのは格闘や銃撃戦が中心で、その描写の見事さには異論を差し挟む余地がないものの、もちろん現実空間での激しいアクションシーンなのだから、およそギブスン風のサイバーパンクとは言えない。

しかし、ここで描かれる格闘や銃撃戦が、身体を機械化した人々によって演じられることが重要だ。つまりこれは、スターリング的なサイボーグによるアクション活劇なのだ。

そもそも『攻殻機動隊』執筆開始時点の士郎正宗の興味は、明らかにギブスン的なサイバースペースよりもスターリング的なサイボーグへと、より強く向けられていた。第一巻には身体の一部を拡張した部分的サイボーグが戦闘用に限らずあらゆるシーンに登場し、それぞれのシチュエーションごとに彼らがどのように運用されているのか、また生体と機械の融合によってどのような不具合が発生しうるかなどの考察を重ねた描写が繰り返し行われる。また第一巻のインターミッション的に挟まれる短編では、「義体」と呼ばれる完全機械化された身体装置へ脳と脊髄を移植し、いかにして臓器や神経系が接続され、新しい肌や髪の毛、その他の生体パーツが整えられるのか等が、克明に描かれてもいる。

作戦中、監禁されていた戦災孤児に厳しい言葉を投げかける草薙素子。
漫画『攻殻機動隊 THE GHOST IN THE SHELL』（1991年）より。

思えば士郎正宗は、『攻殻機動隊』以前の代表作である『アップルシード』(一九八五~八九、未完。作者が凍結宣言中)の中でも、サイボーグやパワードスーツ、パワーアシストアーマーなどを作品のモチーフにしていた。特に「ランドメイト」と呼ばれるパワードスーツは同作の目玉となるテクノロジーであり、搭乗者の手足の動きをトレースすることで操作し、筋力以上のパワーを発揮できる「強化外骨格」として、リアリスティックな設定が詳細に作り込まれていた。あるいは『アップルシード』と同時期に描かれた『ドミニオン』(一九八六)でも同様である。同作が大気汚染に対応できるよう人間を改造するテクノロジーをテーマにしていることや、「重甲冑」なるパワードスーツが「マンガみたい」だとツッコミを入れられながらも登場するあたりは、やはり『アップルシード』と共通した身体機能拡張への関心が感じられる。

『攻殻機動隊』のヒッピーマインド

つまり八〇年代末から九〇年代初頭にかけて描かれた『攻殻機動隊』第一巻は、まずは作者が八〇年代後半に『アップルシード』『ドミニオン』などで既に見せていた、身体機能拡張ないしサイボーグへの関心を引き継いだものだった。そして、その路線をより突き詰めた、完全機械化／義体化を描こうとした作品として位置づけることができる。

にもかかわらず、この作品のギブスン的なサイバーパンク性のみが注目されがちなのは、むしろ我々読者のほうが、九〇年代初頭というインターネット社会の到来を直前に控えた時代にあって、ギブスン的なサイバースペースのほうに関心を持っていたからであろう。

だがそれから三〇年が過ぎた。我々にとってインターネットはすっかり馴染みのものとなり、のみならずその限界すら目に付くようになった。いわんやかつて人々の夢想したギブスン的世界観など、途方もなく無茶な夢物語だったのだと気づかされるに至っている。

しかし他方、士郎正宗が『アップルシード』から『攻殻機動隊』にかけて強い関心を寄せていたスターリング的サイバーパンクは、ついに今日的なものとして眺めることができるようになった。『攻殻機動隊』はたびたび映像化されているが、原作として参照されているのも、結局はサイバースペースを全面的に描いた第二巻ではなく、第一巻のほうばかりである。

別の言い方をすれば、現実世界におけるテクノロジーの程度からすれば、ギブスン的なサイバーパンクは今なお夢物語に過ぎないが、スターリング的なサイバーパンクは実現可能なものへと近づいており、だからこそ我々は、そちらに興味を持つようになった、ということだ。その意味で、ようやく現実のテクノロジーが（そしてもちろん、読者が）『攻殻機動隊』第一巻に追いついたのである。『攻殻機動隊』は、ギブスン的なサイバーパンクの側面で未来を予言的に描いていると言われることもあるが、むしろスターリング的な未来像のほうを先取りして作っていたと言ったほうが正しいのかもしれない。

面白いのは、士郎正宗の身体機能拡張への関心、すなわちスターリング的サイバーパンク性は、そのルーツにあるヒッピー文化の思想を受け継いでいることだ。これは『アップルシード』『ドミニオン』から『攻殻機動隊』まで一貫してそうなっている。たとえば『ドミニオン』が作中でガイア理論へ言及しているのは、人間が機械と共にあるシステムを成立させ、究極的には社会全体、地球全体というシステムの一部をも担うというサイバネティックス的な考え方に由来している。

またサイボーグ化の行える社会の描かれ方も、「自分にできること」を積極的に拡大して「自分のことは自分でやる」という美徳が反映されたものになっているため、登場人物たちはしばしば実力主義的に振る舞うことになる。具体例を挙げると、たとえば『攻殻機動隊』の草薙素子は第一巻の第二話において、監禁状態で洗脳教育を受けていた戦災孤児から「ぼくらを外へ解放しに来てくれたんですね!?」と言われて、次のように否定する。

「何が望みだ?」「俗悪メディアに洗脳されながら種《ギム》をまかずに実《フクシ》を食べる事か? 興進国を犠牲にして」「お前にだってゴーストがあるだろ／脳だってついてる／電脳にもアクセスできる」「未来を創れ」

右の台詞にある「ゴースト」とは、自分の行動を突き動かす無意識というような意味で、『攻殻機動隊』のキーワードのひとつだが、今はあまり重要ではない。要するにこの台詞が言っているのは、「脳」や「ゴースト」などのリソースを既に持ち、それを拡張するための「電脳」にも触れることができるのだから、積極的にそれらを運用し、進歩すべきだということである。

現状に流されることなく、使用可能な道具を手にして、積極的に世界を切り開くべきであるというのは、まさにヒッピー的な自主性を求める態度だと言えるだろう。士郎正宗の作品の主人公たちはほとんどが官憲側の人間であり、ヒッピーのような反体制的行動を取ることをよしとしているわけではない。むしろ自主性を見せ、道具を手に取り、社会へ対峙した結果、場合によっては体制側に組み込まれてしまうことも厭《いと》わない。その力強さが、士郎正宗の描く主人公の美点として示されるものだ。

ネットは広大、しかし平等か

前向きに自らをサイボーグ化し、あるいはパワードスーツを纏《まと》い、困難を切り開く。サイバースペース上のAIとも進んで融合しようとする。恐れを知らないその態度は、たしかに格好よく、進歩的にも見える。

しかし今日、二〇二〇年代の観点から改めて考えてみると、これらの作品が描いているのはやはり古びた考え方だと言わざるを得ない。草薙素子が言ったように、情報技術は誰もが等しく手にすることができ、努力すれば自在に操ることも不可能ではないと考えられていた。自分が戦災孤児であろうが、大富豪であろうが、情報技術の前では平等だからこそ、現実の困難を打破する可能性がある。だから草薙素子は厳しい言葉で孤児を奮い立たせようとしたのだ。

この実力主義的な発想には、たしかに九〇年代の段階では希望があるように思われていた。しかしゼロ年代以降になると日本でも新自由主義的な政策の悪影響が表面化し、実力主義の自由競争に付いていけない人々が為す術なく貧困に陥ったり、持てる者と持たざる者の間の格差が拡大することが明らかになった。つまり誰でも等しく使える道具を持っているのだから、それを用いて現実に対処すべきだという草薙素子の台詞は、そもそも持たざる人間が現れる将来を想定できていなかったのだ。

『攻殻機動隊』あるいは『アップルシード』『ドミニオン』の世界では、サイボーグ化やサイバースペースへのアクセスが手軽なことであるかのように描かれているが、それには莫大な費用が必要であるという説明もある。だが、だからこそ主人公たちは官憲に就職し、権力の後ろ盾を得てその恩恵を享受する。金食い虫の最新テクノロジーを利用するために、主人公たちは権力の走狗《そうく》となるのだ。おそらくそこが、士郎正宗作品の主人公たちの瑕疵《かし》とされるべきポイントだろうし、実際、彼らもしばしばそこに苦悩する。しかし有効な答えが示されたことはない。

そしてこの瑕疵とは、実は士郎正宗作品のルーツにあるヒッピー文化の思想にも等しく宿るものである。たとえば、ヒッピーたちの運動は既存の社会規範からの解放を目指し、また反体制や反権力を掲げたものだった。前述のとおり、シリコンバレーの住人となったヒッピーたちは、人々がそれを実現するための道具として、彼らの商品を作ったはずだ。しかし結果的に彼らはそれで莫大な富を生み、今ではそれこそ新自由主義経済の勝者として、格差の拡大に荷担する立場になっている。

反体制のヒッピー思想をルーツとしながらも積極的に商業活動を拡大してしまうＩＴ長者たちの態度は「カリフォルニアン・イデオロギー」と揶揄《やゆ》的に呼ばれるが、ここにある矛盾は、商業主義や権力主義にまみれなければ一人で状況を切り拓くことができないという形で、サイバーパンク作品全般に見られる矛盾と同根のものである。そして、その矛盾は『攻殻機動隊』にも見え隠れしているわけだ。

『攻殻機動隊』の十数年前を描いた関連作品として二〇一二年から連載されている六道神《りくどうこう》士《し》の漫画『紅殻のパンドラ―GHOST URN―』は、士郎正宗が原案を担当しているが、この物語の冒頭には、世界観の説明として次のように書かれている。

「世界各地で大規模自然災害が／頻発する時代」
「技術先進国ではサイボーグや／自律ロボットが一部ではあるが／一般に出回り始めた時代」
「大国は技術や資源リソースを奪い合い／貧富の差が拡大し／貧困層の未来が目に見えて翳りだした時代」

右の設定は、二〇一〇年代に書かれたものだけあって、当然ながら九〇年代の『攻殻機動隊』に比べれば今日の状況をよく反映したものになっている。

しかしこの世界観が『攻殻機動隊』の十数年前だというのなら、なおさらその後、草薙素子が戦災孤児に対してあれほどそっけなく「お前だってやればできる」くらいのことを言ったのが理解できなくなる。

『紅殻のパンドラ』の世界では、経済格差が甚大であるため、義体などの先端テクノロジーを扱えるのはごく限られた人間のみになっている。それから十数年後に、我々がまだ経験していない経済事情の好転や、あるいはサイバーパンク的なテクノロジーの急激な廉価化が起こり、誰でも接することができるものになるのだろうか。

士郎正宗が、あの戦災孤児へのセリフについて納得のいく説明を考えながら『紅殻のパンドラ』の設定を決定したとは思えないが、そのような大幅な格差が広がり続けている世界から、あと十数年で戦災孤児でも「未来を創れ」る状況になるのなら、むろん歓迎すべきだろう。むしろ、それこそが、創られるべき未来ではある。

おわりに

特集「人間拡張はネオ・ヒューマンを生むか?」が『kotoba』に掲載された二〇二一年の秋から、『ネオ・サピエンス誕生』と題した新書の編集作業を行っている間に、何作かの大作SF映画が公開されました。

ドゥニ・ヴィルヌーヴ監督の『DUNE/砂の惑星』も、ラナ・ウォシャウスキー監督の『マトリックス レザレクションズ』も、見ながら思ったのは「未来」を描いていながらどこか懐かしさを感じさせるのはなぜだろう? ということでした。IMAXで見る映画は、視覚、聴覚におけるまさに人間拡張です。それを通して、「未来」を見ながら、そこに描かれていたのは人間という存在、業みたいなものの不変だったのだと思います。

人間が鳥や飛行機に間違えられる日が来たとき、人間のその部分はどうなっているのでしょう? 新しいテーマを見つけたような気がしています。

kotoba編集部

本書は、集英社クオータリー『ｋｏｔｏｂａ』２０２１年秋号の特集『人間拡張はネオ・ヒューマンを生むか？』に加筆・修正したものです。

ネオ・サピエンス誕生《たんじょう》

インターナショナル新書〇九一

二〇二二年二月一二日　第一刷発行

著者　服部《はっとり》桂《かつら》／稲見《いなみ》昌彦《まさひこ》

ピーター・スコット-モーガン

為末《ためすえ》大《だい》／平沢《ひらさわ》進《すすむ》／渡辺《わたなべ》正峰《まさたか》

木下《きのした》美香《みか》／粕谷《かすや》昌宏《まさひろ》／富野《とみの》由悠季《よしゆき》

ケヴィン・ケリー

大森《おおもり》望《のぞみ》／塚越《つかごし》健司《けんじ》

ドミニク・チェン

吉川《よしかわ》浩満《ひろみつ》／さやわか

発行者　岩瀬朗

発行所　株式会社 集英社インターナショナル

〒一〇一-〇〇六四

東京都千代田区猿楽町一-五-一八

電話　〇三-五二一一-二六三〇

発売所　株式会社 集英社

〒一〇一-八〇五〇

東京都千代田区一ツ橋二-五-一〇

電話　〇三-三二三〇-六〇八〇（読者係）

〇三-三二三〇-六三九三（販売部）書店専用

装幀　アルビレオ

印刷所　大日本印刷株式会社

製本所　加藤製本株式会社

Printed in Japan　ISBN978-4-7976-8091-1　C0204